科学家讲给大家的科学课

科学家讲给孩子的科学课

朱才毅／主编　　杨刚毅／副主编

邓利／著

SPM 南方出版传媒

全国优秀出版社
全国百佳图书出版单位　广东教育出版社

中国·广州

图书在版编目（CIP）数据

科学家讲给孩子的科学课 / 邓利著. —广州：广东教育出版社，2017.6
（科学家讲给大家的科学课 / 朱才毅主编，杨刚毅副主编）
ISBN 978-7-5548-1696-7

Ⅰ. ①科… Ⅱ. ①邓… Ⅲ. ①科学知识—儿童读物
Ⅳ. ①Z228.1

中国版本图书馆CIP数据核字（2017）第077958号

责任编辑：周　莉　杨柳婷　朱珊珊
责任技编：佟长缨　刘莉敏
插　　图：陈烁辉
装帧设计：友间文化

科学家讲给孩子的科学课

KEXUEJIA JIANGGEI HAIZI DE KEXUEKE

广东教育出版社出版发行
（广州市环市东路472号12-15楼）
邮政编码：510075
网址：http：// www.gjs.cn

广东新华发行集团股份有限公司经销
深圳市建融包装有限公司印刷
（深圳市罗湖区梨园路607号2-4楼）

787毫米×1092毫米　16开本　10.75印张　215千字
2017年6月第1版　2017年6月第1次印刷
ISBN 978-7-5548-1696-7
定价：43.00元

质量监督电话：020-87613102　邮箱：gjs-quality@gdpg.com.cn
购书咨询电话：020-87615809

出版说明

　　"珠江科学大讲堂"是面向公众的大型系列科普讲座，由广州市科技创新委员会、广东科学中心、羊城晚报社三方联合主办。其主旨是普及科学知识、倡导科学方法、传播科学思想、弘扬科学精神，为公众打造一个了解科学的互动平台。2012年6月至今，讲堂已连续举办数十期，包括多位两院院士在内的专家、学者做客讲堂，对公众开展多个学科领域的专题科普讲座，为公众提供了解社会热点、科技时事和科技发展前沿的机会，获得了良好的社会效益。

　　为了总结"珠江科学大讲堂"的成果，加大科普传播力度，广州市科技创新委员会设立科普专项，支持编写出版了这套"科学家讲给大家的科学课"亲子科普图书，这套图书包括《科学家讲给家长的科学课》和《科学家讲给孩子的科学课》，基于12位著名科学家的演讲内容及其科研领域进行创作，用深入浅出的方式向家长与孩子展现不同学科的知识和动态。这套图书由广东科学中心组织编写。

　　《科学家讲给家长的科学课》读者定位为具有一定科学基础

或对科学有浓厚兴趣的成年人，侧重向读者传播推介"高、精、尖"科学知识，涵盖数字智能技术、节能环保、生物医疗、空间科技等多个领域，内容权威。

《科学家讲给孩子的科学课》读者定位为9～16岁喜爱科普读物、对科幻作品有兴趣、喜爱探索未来世界的少年儿童。用科学家与读者对话的形式，向少年儿童介绍智慧城市、环境保护、太空探索等前沿新兴科学知识。

由于编者的水平有限，书中的内容也许阐述得不够透彻明白，如有错误，请读者提出批评指正。

"科学家讲给大家的科学课"编委会

2017年6月6日

序

科学可以很好玩

——写给对世界充满好奇的孩子们

亲爱的小朋友，你一定知道孙悟空翻一个筋斗就能走十万八千里、知道什么叫"千里眼"和"顺风耳"，还有哪吒的风火轮……《西游记》的故事估计你是很熟悉的，里面的神仙们都有上天入地、腾云驾雾的本事。

如果我说，这些本领你现在都能拥有，你相信吗？

一部手机不是就能让你拥有"千里眼"和"顺风耳"吗？搭上飞机，你也可以腾云驾雾……现代科技已经把古人的许多想象变成了现实，甚至远远超越了他们的想象。没有我们做不到的事情，只有我们想不到的方向。

《科学家讲给孩子的科学课》这本科普读物缘起于"珠江科学大讲堂"，这是由广州市科技创新委员会、广东科学中心、羊城晚报社三方联合主办的大型系列科普讲座，里面充满了创意和乐趣。这本书，希望能够为小朋友们开启心灵窗口。去看一看吧，从中去寻找你喜欢的方向，给你的想象插上翅膀。

如果我说，未来你也许可以来一场靠近太阳的旅行，完全不用惧怕太阳的高温，你相信吗？

如果我说，未来我们地球上使用的能源完全不需要从地球上开采，而是通过无线的方式从天上传送回来，清洁、安全，并且永远都用不完，你相信吗？

如果我说，未来的科技能让你长生不老，永远存活在地球上，你相信吗？

快点翻开书看看吧，看完你就会发现我说的一点都不荒诞。如果有什么疑问，可以向爸爸妈妈请教，因为他们也在和你同步学习科学知识呢！

未来就是有这么多神奇好玩的事情发生，它在等待着、迎接着你们，同时也期待你们以后能够进一步推动这些科技的发展。因为，亲爱的小朋友，你们就是未来的缔造者！

中国工程院院士

2017年6月20日

目 录

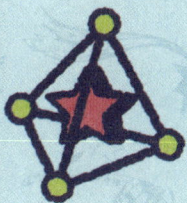

未来数字生活

邬贺铨

中国工程院院士。

我国光纤传送网与宽带信息网专家。长期从事光纤传输系统和宽带网研究开发及项目管理工作，2000年后负责下一代互联网（NGI）和3G及其演进技术（LTE）等研发项目的技术管理。

曾任电信科学技术研究院副院长兼总工程师、中国工程院副院长、工信部通信科技委主任、中国电子学会副理事长、中国通信学会副理事长、中国通信标准化协会理事长、国家"973计划"专家顾问组成员。目前兼任国家信息化专家咨询委员会副主任、中国互联网协会理事长、国家"新一代宽带无线移动通信网"科技重大专项技术总工程师、"中国下一代互联网示范工程"专家委员会主任、国家物联网专家组组长、IEEE（电器与电子工程师学会）高级会员。

我一直从事光纤传输系统和宽带网研究开发及项目管理工作。曾经有个网友问我能否化身为一个生活在未来的人，向我们描绘一下广州市智慧城市未来的美好图景。

未来的人是怎么生活的，您真的知道吗？

我想，如果能够突破时间进行穿越，未来小朋友一天的生活可能会像下面这个故事里一样。

哇哦，我也想过一天他那样的生活。

我是一个从事光纤传输系统和宽带网研究开发的科学家，今天在我的实验室里发生了一件事，震惊了实验室所有的人。

事情是这样的，早上我来到实验室上班，今天是要测试一段新的光纤材料在电磁干扰下的传导能力。我和助手把它安装在实验平台上之后，接到电脑系统上，还没把电脑的电源打开，突然，凭空一道光落在光导纤维材料上，实验室里的所有电脑屏幕都闪了一下，接着就像是什么也没有发生一样，恢复了正常。

我和助手检查了实验所需要使用的全部设备，并没有发现任何异样的情况，决定继续实验。助手去接通电源，我打开了电脑。电脑桌面上，都显示出这样的界面：

难道我们的电脑实验系统被黑客攻破了？

这是非常严重的问题——我们的新型光导材料刚刚研发成功，正在做投入市场使用前的测试工作。这个时候最不希望发生的就是关键技术参数外泄。

必须马上弄清楚事情的真相。我果断下令，关闭所有电脑，断开所有网络连接。然后，我把一台单机的电脑重新开机，它仍然跳出了和之前一模一样的界面。

我再点击，竟然收到了一些非常有趣的文字。这些文字来自一个生活在未来的12岁小男孩。哈哈哈，太有趣了。实验室所有的人都看了一遍，我估计大家在将来很长的一段时间里都会议论这个话题，而最令我感到惊喜的是这些电脑可以接收到未来的信息！

我还是先把那个12岁孩子的作文给你看看，和我们一起分享这份来自未来的喜悦。

我的一天

你知道每天早上醒来，我最讨厌见到谁的脸吗？就是他——我的机器人保姆！他"噜噜噜噜"过来，"噜噜噜噜"过去，头顶上那个可以转动的眼睛（其实就是个摄像探头）一天到晚对着我。

我都12岁了，还需要保姆？！

唉，就是嘛，我已经是个大人了，可爸爸妈妈完全不这么认为，尤其是妈妈，她觉得我还没有长大，对我事事不放心。算了，你知道和爸爸妈妈争执这个，不可能有好结果，浪费时间。

"别催了，我在起来！"

你知道的，早上离开温暖的被窝是件多么难受的事情，现在

5

小知识

通过一套数字家庭系统，就可以远程"命令"这个24小时在家待命的"机器人管家"。它能牢记用户的各种信息，只要通过手机发出语音指示，它就能立刻完成包括缴纳水电费、查询公交、预约挂号、食品药品查询、视频会议、老人摔倒报警、家庭健身等数百项生活工作事务，同时还能记住用户的习惯，做出各种智能提醒。

才刚刚6点55分，机器人保姆就准时敲响我的房门。我一把掀开被子，跳下了床。你们知道吗，要是再晚半分钟，我的床就会升上屋顶，把我夹在屋顶和床之间，我就会成为人肉三明治馅料。

哈哈哈，这是开玩笑的。我的床不会这么恐怖的，但机器人保姆肯定会一把将我从床上拎起来，丢在地毯上。虽然身体不会受伤害，但我的小小心灵会很受伤！所以，我一听到他的叫声，就立马起床。

今天爸爸妈妈都很早出门，我一踏出房门，屋里就响起妈妈的留言："宝贝，我和爸爸今天晚上八点半之后才能回来。上课认真点！中午在学校吃饭一定要点一份青菜，晚餐已经设定好，自己回来先吃，不用等我们。爱你！"妈妈的声音很大，生怕我听不见。好啦，好啦，我又不是聋子。

嘻嘻，放学后有四个小时他们不在家，我真想带好朋友小小过来一起玩，可惜呀！有这个机器人保姆在旁边看着，现在你知道有一个机器人保姆该有多烦了吧。看呐，他正朝我晃动眼睛，有时候，我觉得他能测到我的想法。

"加冰汽水、三块炸鸡、一包薯条，再加一包爆米花。"我一边刷牙，一边说出我想要的早餐。

"妈妈说，你今天只能吃中式早餐。"

要是能打赢机器人保姆，我早就和他干一架了。问题是，我打不过他，他有四只手，而我只有两只。算了，他说的话也是妈妈设置的，没办法。

"我可以给你做一小包爆米花，我知道这是给学校大广场上的鸽子吃的。"

嘻嘻，机器人保姆有时候也很人性化。

一碗粥，一个煎蛋，两个肉包子，我狼吞虎咽地吃完后，时间正好七点半。

无人驾驶的校车在我家楼下停留三分钟。我抓起昨天就准备好的书包，对着机器人保姆大叫一声"全部关闭"就跑了出去。

跑出大楼我才想起来，我忘了让机器人保姆自己充电，他快没电了。管他呢，也许妈妈设置了自动管理程序。

今天上午有我最喜欢的探索课，是模拟驾驶宇宙飞船。我想去土卫二，也就是土星的第六大卫星，它被称为太阳系最有可能孕育生命的卫星。如果用光速飞行，不用半天就到了。可惜我们还没有这技术。

我的理想就是做个旅行家，去所有可以去的地方，把可以玩的地方都玩一遍。所以你知道我为什么跑这么急，跑这么快了吧。

虽然我们的校园是全智能化管理的，但我的班主任每一天都

会站在校门口迎接我们。他管得可真严厉！哪一个同学没搭上校车，或者想逃学，不到半个小时，家长就知道了。

校车在通道口停稳之后，同学们有说有笑地走向自己的班主任。我看看周围，乘没人注意，一转身向探索课教室的方向跑去。昨天，小小跟我说，我们学校进了一台用来教学的模拟飞行器，无线控制，立体成像，人在操作的时候，就像真的在外太空飞行一样，真是太酷了。我多么希望今天上课就用这个机器！我跑到探索课室一看，太失望了。新的模拟飞行器在课室里面，却还没有拆封，看来今天是用不上了，真扫兴！

8

我垂头丧气地回去上了两节语文课。再一次来到探索课室的时候，我站在课室门口和同学们一起尖叫起来。模拟飞行器安装好了！这两节探索课上得太刺激了。我站在操纵台上，戴着太空空间模拟视觉仪，手在空中挥动，触碰虚拟遥控点：加速，减速，回转，紧急情况处理。课上还介绍了一种新型太空服和一种新的太空食物。这比我家里的那台模拟驾驶器好玩多了。

中午吃饭时间，我和小小约定，周末我们一起去科学中心玩，去看那里最近陈设的新式太空服。小小要去科学中心的植物园圃，上次他嫁接的橘子树，院长来电话说，已经结出了三种不同品种的橘子。小小不喜欢冒险，他喜欢植物，将来想做一个植物学家。我们的生物课老师设计了一个非常有意思的动植物园。虽然小小没有选探索课，但我俩都特别喜欢数学。我们为同学设计了一个"代数

碰碰乐"的游戏，发布在学校的网站上，点击量已经超过三百了。

下午，上了外语课和辩论课。放学后，小小约我到他家玩。

小小的妈妈做了一些小点心：小刺猬榴梿酥、小兔子模样的萝卜酥，还有菊花南瓜饼，又好看又好吃。小小妈妈喜欢自己做食物，比机器做出来的好吃一千倍。我爸爸妈妈就是太忙，我们家只能吃食物料理机做的食物，要是也能像小小家一样该多好啊！不过，我可以常常跑来小小家里吃，这也很不错。今天小小妈妈还让我带了一打南瓜饼回家给我爸爸妈妈吃。有小小这样的好朋友，真好！我们要永远都做好朋友。

小小家还有一柜子的古老漫画书！你知道吗？过去的人真有意思，为了看到动画，他们竟然有一种小书，每页画着一个动作，把一连串动作分开画在二十几页纸上，从头到尾快速地翻，就可以看到一个连续动作。我们现在根本不需要用手捧着书，只要头上戴着

阅读器，站着、躺着都可以看书；也可以开启语音，让它朗读；还可以和人工智能互动。过去的人要是知道，肯定很羡慕，很惊讶。

晚上爸爸妈妈下班，直接来小小家接我。知道我已经把作业全做完了，他们夸奖了我。本来以为今天是我人生中唯一不会挨批评的一天，谁知道，一进家门，妈妈就开始数落我："你就是没记性，这也忘记，那也忘记，以后都不知道你能干好什么事情。看看，不充电，明天罚你自己起床。你不知道啊，机器人保姆三天没有充电，现在完全是无电状态，最少也要充电两小时才能重新启动啊！我和你爸爸还没有吃饭呢。你说怎么办？"

10

嘻嘻，你猜对了。机器人保姆因为没电，自动关闭了。我以前怎么没有想到这样治他呢，他不来叫我起床，真是太好了。望着一动不动地站在墙角充电的机器人保姆，我好开心。

至于爸爸和妈妈，他们吃了南瓜饼，赞不绝口。妈妈还说，以后自己也试着做些小点心。

今天真是完美的一天！

亲子活动

你也写一篇有关科技生活的作文吧，把它装进玻璃瓶，藏在任何你喜欢的地方——说不定，会有来自未来或者过去的人能看到它。据说时光机器很快就要造出来了呢！

2

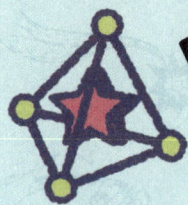

吃进去城市垃圾，吐出来美丽房子

陈勇

中国工程院院士。

我国杰出的能源新技术专家，从事洁净煤技术、有机固体废弃物综合治理与利用技术、生物质能利用技术、能源战略研究。多项专利获国家、省部级科技奖励。

原中国科学院广州分院院长、广东省科学院院长、中国能源学会常务理事、联合国工业发展组织国际太阳能技术促进转让中心特聘专家、国家科技部国际合作专家委员会专家、广东省能源学会副理事长。

陈爷爷，您是研究地球环境保护的专家，对吗？

可以这么说。我主要从事洁净煤技术，还有有机固体废弃物综合治理与利用技术，不让那些废弃物污染我们的环境，甚至能变废为宝。

听说您的研究成果获得了23项专利，还有6项国家、省部级科技奖励，真厉害！

哈哈哈，我老了，你们才是明天的希望。等你们长大的时候，不仅仅会制造出"吃进去城市垃圾，吐出来美丽房子"的机器，还会有更多的地下宝藏被你们开发出来，造福人类。

12

我是学校板报组环境保护栏目的主编、记者、撰稿以及宣传员。嘻嘻，在我们学校里，我绝对是个环保的"big boy"。

"常善救物，故无弃物"是我国古代大思想家老子在《道德经》里说的。用现代人的话来说就是：如果我们能够知道世界上各种不同东西的特点，就会发现万物都是有用处、有价值的，没有任何东西应该被我们废弃。

13

老子生活于春秋时期，距离我们两千五百多年，他在当时就已经有这样的见识。看看我们现代人，今天换一台手机，明天丢几件衣服，环保意识真是连古人都不如。

你别笑话他们，你自己做得怎么样呢？我问问你：你有几个作业本是从第一页用到最后一页的？其中是不是还有许多空白页没有用呢？你家是不是经常倒掉吃不完的饭菜？是不是总有一堆没用的充电器、旧电器、废电池？你是不是觉得，这些垃圾天天都出现在我们生活中，根本不值得一提，放在垃圾袋里，丢到外面垃圾桶里就完事了？

我告诉你一些数据，你肯定会吓一大跳：

据调查，目前中国每年产生近1.5亿吨城市垃圾。中国城市生活垃圾累积堆存量已达70亿吨，垃圾量居世界第一，而且每年以8%～10%的速度增长，全国多座城市陷入垃圾包围之中。

许多城市的垃圾采取裸露堆放处理，没有任何防护措施。蚊子、苍蝇、蟑螂、老鼠可开心了，垃圾堆就是它们最美好的家园，它们成倍地增长繁殖，同时传播疾病。臭气熏天的垃圾堆，在腐烂变质的时候，还会产生很多污水和废气，污水渗入地下，对地下的土壤、地下水资源都会造成很大的污染，废气直接污染了我们呼吸的空气，危害我们人类的身体健康。

也许你会说：我怎么没发现呢？我们小区每天都有环卫工人把那些垃圾运走，小区一直都干干净净，根本就没有垃圾堆。

是呀。但是，你知道那些垃圾被运到哪里去了吗？我敢打赌，你肯定不知道。下面，

14

让我翻出一条旧新闻给你看看：

2015年12月20日，深圳市光明新区凤凰社区恒泰裕工业集团后侧发生一起山体滑坡事故，造成69人失去生命，8人失联，33栋建筑被毁。现场塌方面积十多万平方米。触目惊心吧！新闻中滑坡的山体实际上是一个巨大的垃圾堆——主要堆放渣土和建筑垃圾。由于堆放量大，坡度又很陡，最后导致整个垃圾山垮塌。近70条生命就这样被垃圾堆吞没了。

现在你看到了吧，城市垃圾已经占用了我们大量的土地；成堆的垃圾影响着城市的景观；垃圾渗液对水体造成污染；焚烧处理产生大量有害气体，影响大气环境；填埋过程产生的可燃性气体更存在火灾隐患；垃圾场滋生大量有害细菌，威胁人类的健康。

城市垃圾的处理和回收利用，是人类目前面临的紧迫的挑战。如何最大限度地实现垃圾资源的回收利用，减少垃圾处置量，改善生存环境，已经成了世界各国共同关注的迫切问题。

老子说，万事万物都是有用处的，有价值的，没有任何物质

应该被我们废弃。可是垃圾就是废物，能有什么用处呢？

前不久，我在网上看到有人用城市垃圾打印出一座房子。居然连房子都可以打印了，这本身就有点匪夷所思，但是打印出来的房子已经真真正正地摆在我们面前，而且是用城市建筑垃圾为原料。我真想马上跑过去看看，可惜它们不在我居住的城市。

为了得到这条新闻的第一手材料，我拨通了爷爷家的电话。过两天就是"五一"长假，爷爷肯定会对这个信息感兴趣的。果然，爷爷听到这个消息，马上同意"五一"假期带我一起去看看那个用垃圾打印出来的神奇房子。

你想知道我爷爷是做什么的吗？——他是一个专门研究地球环境保护的专家，我所有的环保意识都是受爷爷的影响。爷爷主要从事的工作就是有机固体废弃物的综合治理与利用，让那些废弃物不会污染环境，还能变废为宝。他的研究成果获得了多项专利，还获得过国家级科技奖励！记得我小学一年级的时候，他曾经跟我说："哈哈哈，我老了，你们才是明天的希望。等你成为大人的时候，不仅仅会制造出'吃进去城市垃圾，吐出来美丽房子'的机器，还会有更多的地下宝藏被你们开发出来，造福人类。"如今才过去三年多，这样的机器就造出来了！

今天是假期的第一天，吃过早饭，我就冲出门去爷爷家。

爷爷拿出一本剪贴本。哇！本子里都是爷爷收集的一些关于利用城市垃圾的新方法。"要想去看神奇房子，先要做点功课哦！"爷爷说，"我们先来了解一下，'吃进去城市垃圾，吐出来美丽房子'的机器——3D建筑打印机是个什么东西。"

原来——

1983年，（我当时还没有出生呐！）有个叫查克·赫尔（Chuck Hull）的老爷爷发明了3D打印技术。

随后，世界各国的建筑设计公司通过实践和研究，设计建造了许多3D打印建筑。我找一些比较有特色的，展示给你们看看。

2013年1月，荷兰建筑设计师Janjaap Ruijssenaars和艺术家Rinus Roelofs设计出了全球第一个3D打印建筑。他们给这座像风景一样令人愉悦的建筑起名为Landscape House（风景屋），这座建筑是使用意大利的"D-Shape"打印机制造出6米×9米的块状物拼接完成的。

全球第一个3D打印建筑

2013年8月，美国加州奥克兰的设计工作室完成了世界上第一个可分解的3D打印建筑——Echoviren。这个建筑由585个组件构成，共耗时10 800个小时进行3D打印，最后拼装花费了4天。所有组件都采用聚乳酸生物塑料制成，时间一长，它就会自我分解。

当国外3D打印建筑的梦想家们在构思、实验、动工的时候，我们中国的3D打印建筑先驱也在默默耕耘。2014年3月，全球第一家实现真正建筑3D打印的高科技企业——苏州盈创科技公司宣称，只需要一张图纸、一台电脑、足够的"油墨"，他们就可以在24小时内打印出10栋200平方米建筑。这是真的吗？

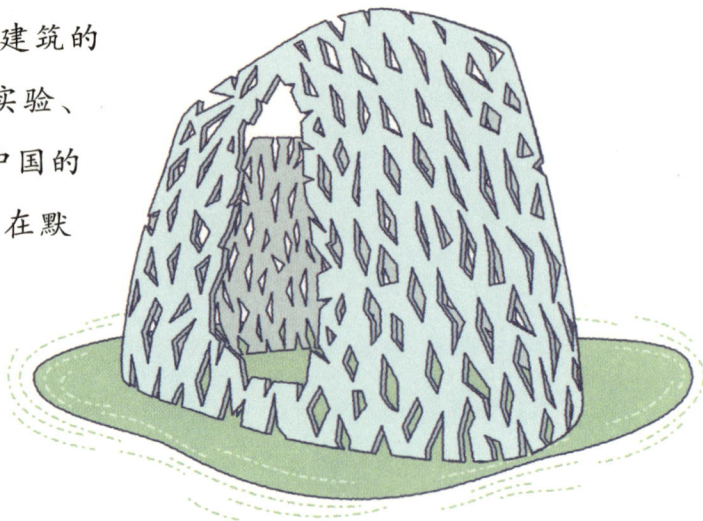

世界上第一个可分解的3D建筑

不久，号称"全球首批3D打印实用建筑"的房屋亮相上海张江青浦园区。这些别墅经过简单的装修后，用于青浦区民惠三期动迁指挥部办公，并接受各种检验。

我爷爷去看过这些房子，他对我说："这些房子不大，最高不过两层，面积也就十多平方米。奇怪的就是完全看不到一块砖瓦，墙体呈现出年轮蛋糕的结构，由一层层水泥材料堆叠而成，每层大约2厘米厚。这些与众不同的墙体，其实是用一种特殊的"油墨"，根据电脑设计图和方案，在现场层层叠加"喷绘"而成。

爷爷还去看了打印现场，他说："一个巨大的喷头像奶油裱花器一样源源不断地喷出灰色油墨，油墨呈'Z'字形层层叠加，很快便砌起了一面高墙。"

看了爷爷的剪贴本，我对自己的认知有点失望了。我还以为建筑3D打印机技术是最近才出现的，其实它已经出现很多年了。我还不知道爷爷收集资料已有三年多的时间，真是不积极努力去发掘、去阅读，很多新事物都会无法掌握。

爷爷看我有点沮丧，说道："现在的科技日新月异，你才多大一点的年纪啊，以后有很多机会，可以看到更多更新的科学技术。该我羡慕你啊！傻小子。"

还是接着看爷爷的剪贴本吧。

爷爷说，2015年1月，在打印那些房子之后不久，盈创科技公司又打印了一栋高15米的六层公寓楼（地面五层地下一层），以及一座1100平方米的别墅，成为当时世界最高的3D打印建筑。

别墅以及五层楼的楼房的制作过程是这样的：3D建筑打印机在苏州的厂房里按照电脑设计图和方案，层层叠加"油墨"喷绘基本构件，然后运到现场拼装起来。一天时间里，两栋房子就打印出来了！

"爷爷，爷爷，你有没有去看看它们的打印机呀，是不是很大很大？"

"那你觉得呢？该有多大？"

"我觉得比房子还要大，要不它怎么能打印一栋房子呢？你想想，打印一张A4纸的打印机，个头就比纸大多了，要打印一栋

19

房子，那该要一台多大的打印机啊？"

"哈哈哈，你真聪明！负责设计研发这台打印机的小伙子告诉我，这台打印机高6.6米，宽10米，长32米，占地面积有一个篮球场那么大，有三层楼高。且打印机长度还可以延伸，完全拉开足有150米。你知道一个标准足球场的长度是多少吗？"

"这个我知道，场地长105米，宽68米。"

"没错。你看，3D建筑打印机的长度延伸之后，可以达到150米，有一个半足球场那么长呢。"爷爷接着说，"研发者用了好几年的时间完成了设计，然后全球定制零部件，最终在苏州工厂组装而成。这次现身青浦的3D打印房屋，就是在苏州打印好后搬运到上海的。"

"我们以前盖房子需要很多工人师傅搭架子、砌砖头，一点一点把房子盖起来。有了3D建筑打印机，将来建筑工人这个职业就可能慢慢要消失了。哈哈哈，你可以想象一下未来的建筑工地会是什么样子？"

"未来的建筑工地啊？让我想想。以后的人要是想盖一栋房子，他们就会找一家高智能房屋建筑公司，公司会派一个机器人过来，了解一下他们的需求，看看场地，回去在电脑上设计出人们喜欢的结构。接着，就是派一台智能3D建筑打印机过来——也许可以叫它'智能建筑机器人'，它就会按照原先设计好的方案，'突突突'几下子，把人们想要的房子打印出来了。所以，未来我们可

能看不到建筑工地，只要一两天的时间，甚至可能一觉睡醒，隔壁就立起一栋房子了。你说是不是？"

"哈哈哈，想象力不错。很有可能，很有可能啊！"爷爷被我逗乐了，"要能用上你想象的这个智能机器，让它们自动控制整个建筑工程进度，还需要一些时间。不过我相信，按我们国家目前的经济速度，这个想象很快就会实现。"

爷爷接着说："我们现在的建筑工地，还有一个很大的危害，就是污染和浪费。我们每盖好一栋房子，就会产生很多建筑垃圾。城市里绝大部分建筑垃圾未经任何处理，便被施工单位运往郊外或乡村，露天堆放或填埋。建筑垃圾处置不当会给人们的生产、生活带来影响，甚至危害人的健康。"

"不就是一些砖头瓦块，有那么大的危害吗？我觉得就是难看一点而已吧。"

"呵呵，看来你对建筑垃圾的组成还不了解，才会说出这样的话哦。"

"据统计，每1万平方米建筑施工面积，在建造过程中会产生500～600吨建筑垃圾，而拆除1万平方米旧建筑，将产生7000～12 000吨建筑垃圾。我国的建筑垃圾已占到城市垃圾总量的30%～40%。这是一个巨大的比例啊！"

"哇哦！我一直以为城市里最多的垃圾是我们的剩余饭菜、不穿的衣服，原来建一栋房子产生的垃圾更多啊！"

爷爷接下来给我讲了建筑垃圾给人们带来的几种主要危害。

第一，建筑垃圾会污染水体。建筑垃圾由于发酵和雨水的淋溶、冲刷，以及地表水和地下水的浸泡而渗出污水，会造成周围地表水和地下水的严重污染。垃圾渗液内含有大量有害污染物、各种金属和非金属污染物，危害极大。

小知识

建筑垃圾的来源：城市建筑垃圾主要是由于土地开挖、道路开挖、旧建筑物拆除、建筑施工等产生的垃圾，它主要由渣土、碎石块、废砂浆、砖瓦碎块、混凝土块、沥青块、废塑料、废金属料、废竹木等组成。

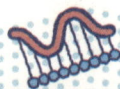

第二，建筑垃圾会降低土壤生产力。随着城市建筑垃圾的增加，垃圾堆放场的面积也在逐渐扩大。垃圾与人争地的现象已到了相当严重的地步。垃圾渗液渗入土壤中，会发生一系列物理、化学和生物反应，造成土壤的污染，从而降低土壤质量。

第三，建筑垃圾会产生有毒物。建筑垃圾在堆放过程中，某些有机物质发生分解反应，产生有害气体。如废石膏会转化为具有臭鸡蛋味的硫化氢；废纸板和废木材会分解生成挥发性有机酸，这种气体极为有害；垃圾中的细菌、粉尘随风飘散，造成对空气的污染；少量可燃建筑垃圾在焚烧过程中会产生有毒的致癌物质，对人体健康造成严重危害。

第四，建筑垃圾会污染居住环境。建筑垃圾扬起的大量粉尘会加重雾霾天气，更是造成人们呼吸道疾病的潜在隐患。生活在建筑工地周边的居民只能门窗紧闭，减少出行。

爷爷说："这些是看得到的污染，还有看不到的。"

"是啊，是啊，我们隔壁王叔叔家前几天一直在装修，好几天我都没办法静下心来好好写作业。"

爷爷在我头上轻轻敲了一下，笑着说："你小子想逃作业吧！找些烂理由。"

唉！怎么那么容易就被爷爷看穿呐！我本来想在假期多玩一下，数学作业少做两页，看来是没戏了。

为了赶紧转移话题，我对爷爷说："我在网上看到，他们使用建筑垃圾做原料，打印新的房子，这很棒啊！爷爷，你有没有看过一部美国科幻电影《回到未来》。我记得，电影里面那个布朗博士的飞车没有能量无法启动的时候，他就会在路边垃圾筒里找些饭渣、烂菜叶等，统统倒进飞车燃烧转化箱里，然后他的飞车就会重新充满能量，'嗖'的一声，一飞冲天。要是能做到这样，我们城市里面就真的一点垃圾都不会有了，因为垃圾全部变成新的材料、能源了。"

爷爷很认真地听完我的话，说："能做到这样当然很好。我一直都希望能有这样的一天啊！这需要时间，我们现在的科学技术还做不到将垃圾全部变成新的材料和能源。不过，3D建筑打印机所用的原料确实可以用建筑垃圾、工业垃圾和矿山尾矿，再加上水泥、钢筋和一些特殊的助剂合成。要不我怎么会说，3D建筑打印机就是'吃进去城市建筑垃圾，吐出来美丽的房子'的超级智能机器。"

"爷爷，你说得太好了，太形象了。"

"哈哈哈！时间也差不多了。我们出发吧。明天一大早，我带你去看神奇的被打印出来的房子！"

异想天开

你有没有看过美国经典科幻电影《回到未来》？影片中，马丁和小伙伴布朗博士乘坐时光汽车从1985年穿越到2015年的未来世界，看到了很多不可思议的场景：飞行汽车、悬浮滑板……

在今天，我们惊讶地回顾，影片中有好多关于未来的预言精准到不可思议：

增强现实设备——谷歌眼镜，眨眼就能拍照、可以接电话的眼镜。

3D电影——通过全息摄影已经成了现实。

25

视频通话——我们现在的视频聊天、网络电话已经很普及。

磁悬浮滑板——Hendo Hover开发了一款磁悬浮滑板，能够离地2.5厘米左右。它在使用上和普通滑板差不多，只是目前还不是很稳定。

自动系鞋带的鞋子——加拿大一个团队发明了PowerLace，能自动系鞋带。虽然现在商场上还不能买到这样的鞋子，不过相信不久的将来，这么方便省时的鞋子会进入我们的生活。

影片中还有这样一个情景：布朗博士的时间穿梭飞车是用垃圾来做燃料的。当他的飞车没有能量无法启动的时候，他就会在路边垃圾筒里找些饭渣、烂菜叶等，倒进飞车燃烧转化箱里，然后，他的飞车就会重新充满能量，"嗖"的一声，一飞冲天。

这一切现在还只是幻想。未来就掌握在你的手中，希望你能让这幻想变成现实哦！

亲子活动

垃圾分拣：看看下面哪些属于可回收垃圾，哪些属于不可回收垃圾。

旧报纸、玻璃瓶、旧书、塑料袋、菜叶、废电池、易拉罐、废电线、旧衣服、过期药品、剩饭、卫生纸、果皮、旧手机、坚果壳。

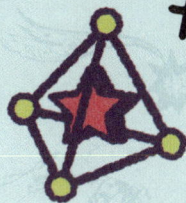

3 登上月球，抓个星星

叶培建

中国科学院院士。

空间飞行器信息处理专家。因主持中国无人探月工程，被称为"嫦娥之父"。

曾任中国空间技术研究院院长助理、计算机总师、传输型对地观测卫星总设计师兼总指挥、对地观测卫星首席专家、"嫦娥一号"卫星总设计师兼总指挥。现任航天科技集团公司科技委顾问，航天科技集团公司"嫦娥三号"探测器系统首席科学家、"嫦娥五号"总设计师、总指挥顾问，空间科学与深空探测首席专家。十一届、十二届全国政协委员，清华大学、浙江大学、北京航空航天大学等高校兼职教授，博士生导师。

曾获国家科技进步特等奖、一等奖等多项奖励和全国"五一劳动奖章"。

叶爷爷，从月球上给我们传回很多照片的"嫦娥三号"探测器，真的就是您造出来的吗？

哈哈哈，探测器是航天科技公司的叔叔阿姨建造的，我只是"嫦娥三号"探测器系统首席科学家，现在是"嫦娥五号"的总设计师顾问。

"嫦娥五号"真的能带人飞到月球上去吗？

今天还不能，将来肯定能的。我们不仅仅要登上月球，我们还想抓个星星呢。

137亿年以前，宇宙大爆炸产生了我们现在生存的这个世界。如果把这么长的时间比喻成一片大海，那我们人类存在的历史可能连一滴水都比不上。在这个宇宙里，科学家已经发现的星系（跟我们的银河系同级别哦）就不下千亿个；银河系里的行星也有数亿个之多，太阳系只不过是其中的一个。

我们人类的能力对于太阳系来说，是多么微不足道啊！但是，自从人类诞生以来，总是有人在仰望着天空，幻想自己有一天能到月亮上去。在我们中国，最著名的故事就是"嫦娥奔月"——一个美丽的姑娘吃了飞升的药丸，腾空而起，飘飘然飞到了月亮上面。月亮上有广寒宫，还有一棵永远也砍不倒的月桂树，当然，还有那只你也知道的月兔。月亮上真是这样吗？你肯定笑着说："你傻呀，当然不是这样的。"

美国人不是已经登上过月球吗？虽然我们现在还没登上去，但我们的天文望远镜能把月球看得很清楚，如果在月球上放一枚硬币，我们都能看清它的细节。

苏联"航天之父"齐奥尔科夫斯基说过："地球是人类的摇

29

篮，但人类不能总是生活在地球之中，一定要走出去。先是小心翼翼地穿过大气层，接着就是整个宇宙。"

中国科学院叶培建院士也说："如果一个国家、一个民族没有仰望星空的人，这个国家是没有出路的。"

你是不是觉得他们说的话和你的生活没有太大关系？宇宙啊，太空啊，月亮啊，感觉都很遥远，好像不去那里，我们在地球上生活也很舒服。听起来好像是没错，但是如果我们不能把通信卫星发送到天上去，地球上就需要密密麻麻地建很多电视塔。因为以前靠电视塔发射转播电视信号，每个电视塔覆盖的范围有限。而现在，只要在赤道上空放三颗卫星就能覆盖全球。

这下你是不是感觉向太空发展和你的生活很近？确实，你的电话、视频、信息的传播都要靠通信卫星。卫星在空中运行，不会被地面上的洪水、地震影响。另外，我们还可以通过卫星观察地球上的天气变化，做天气预报，还能实现GPS导航、地动观测、海洋监测等。

话说回来，我们跑到月亮

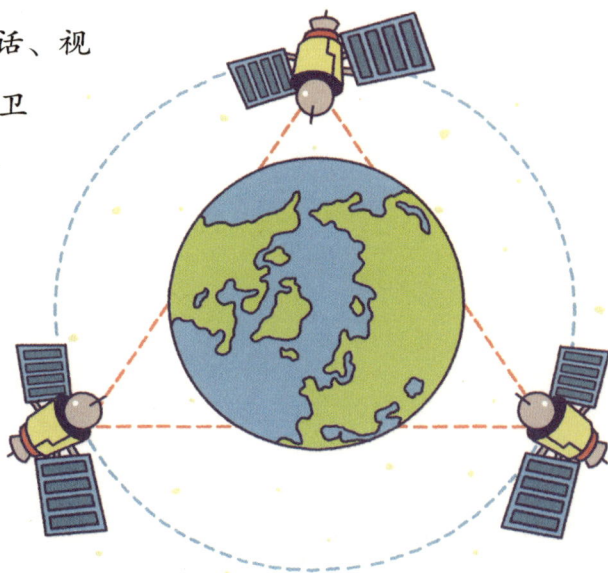

小知识

卫星是指围绕一颗行星轨道并按闭合轨道做周期性运行的天然天体或人造天体。月球就是最典型的天然卫星，它（天然卫星）围绕地球（行星）有规律地（周期性）运转。

上去，能做些什么呢？

那么，我问你，地球人类现在最需要的东西是什么？

能源！你答对了吗？现在我们人类主要的能源是石油、煤炭和核能。全世界已经发现的石油和煤炭储藏量以目前的消耗速度计算，石油将在五十多年内耗尽，煤炭也将在一百多年内枯竭。如果我们能在天上建一个电站，或在月球上，或在地球上几百万千米以外的地方建一个电站，把电用微波传送到地面，地面接收以后再转化成电能，这是取之不尽、用之不竭的干净能源。

在地球上，我们获得能量最厉害的方法，是通过核聚变获得核能。一说核电站，是不是第一时间会想到日本福岛核电站和切尔诺贝利核电站事故？这些都是灾难啊！其实，国际上发生过事故的核电站，都是比较老式的第二代核电站，它的原理跟原子弹爆炸没什么区别，但是第四代核电站利用的是可控的热核聚变。国际上有一个共同研究组，我们中国也参加了。热核聚变里面要用到一些物质：比如氚、氕、氦。氦-3拿来做核发电是最好的。现在我们中国一年据说光是火力发电就要消耗将近十亿吨煤；但如果我们能够用氦-3来发电，只需要消耗几吨煤。

宇宙的形成就是这么奇怪：地球上几乎没有氦-3，而月球上有很多。美国观察月球后，估计月球上有四五百万吨氦-3，人类一年只需要一百吨就行了。我国"嫦娥一号"上太空以后得出一个结论，月球上的氦-3没有美国说得那么多，大概也就是一百万吨。一百万吨也够我们用很多年，下一步就是怎么把它开采回来。

当然，太空中还有很多其他好东西：你知道的，太阳系里有很多小行星，已经命名的就有4万多颗。

在空间试验中，还有一个神奇的发现：地球上的植物种子在太空经过几天空间的辐射以后，带回地面栽培，一个南瓜可以长到200多斤，一条豇豆可以长到1米多长。因此，我们国家专门发射了

小知识

尤里·阿列克谢耶维奇·加加林，1961年4月12日驾驶东方一号飞船完成有史以来的首次太空飞行，人类第一次从太空观察到了自己居住的地球。

一颗种子卫星，我们在这颗卫星上培育了很多种子。所以，空间有很丰富的环境资源可以利用。

联合国有个公约："月球是全人类的，谁开发谁利用，谁先到谁得益。"

世界上所有有能力的国家都投入大量人力物力研究开发太空新技术。早在2010年，美国人就已经拥有一种"神秘的航天飞机"（超音速X-ray7），它两小时就能绕地球飞一圈。也就是说，它可以在两小时之内飞到地球上的任何一个地方。他们正在研究一小时就可以绕地球一圈的飞行器！

那么，我们中国现在向太空发展情况怎么样呢？

我国的载人航天领域发展得非常稳健。从神舟一号到神舟十号，我们向天空发射了四次无人飞船后，2003年，神舟五号载着杨利伟叔叔飞上了天，他成为中国第一个宇航员。

杨利伟叔叔成为太空人确实比苏联的加加林晚了几十年，但是

杨利伟落地偏差不到10千米，当年加加林落地偏差400千米；杨利伟在天上运行一天十多圈，加加林在天上运行是一圈，一百多千米；加加林落地是带伞的，而我们是飞船舱、返回舱整个舱体软着陆。

中国所有的飞船，从神舟一号到神舟十号都有一个留轨舱。返回舱返回以后，留轨舱还要在空中工作半年以上。一个留轨舱相

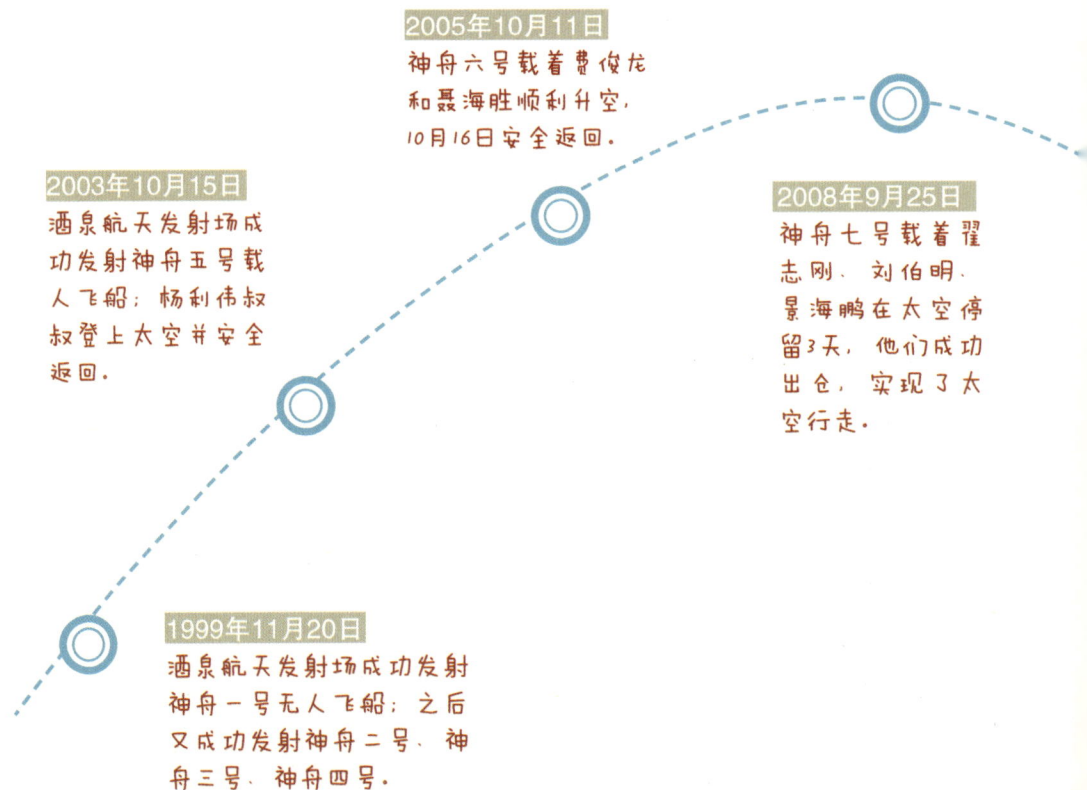

2005年10月11日
神舟六号载着费俊龙和聂海胜顺利升空，10月16日安全返回。

2003年10月15日
酒泉航天发射场成功发射神舟五号载人飞船；杨利伟叔叔登上太空并安全返回。

2008年9月25日
神舟七号载着翟志刚、刘伯明、景海鹏在太空停留3天，他们成功出仓，实现了太空行走。

1999年11月20日
酒泉航天发射场成功发射神舟一号无人飞船；之后又成功发射神舟二号、神舟三号、神舟四号。

当于一个大型卫星，我们可以利用它来做很多的事情。

下一步，我们还要发展自己的空间站。到那个时候，我们不仅可以送宇航员过去，接宇航员回来；还可以在上面做很多科学试验。我们现在有一个国际空间站，建于1998年，由我国和美国、俄罗斯、加拿大、日本等国共同研发，预计可以使用到2018年。

我们什么时候才能登上月球呢？登上月球之后能做些什么呢？

35

2013年6月12日
神舟十号的太空人聂海胜、张晓光和王亚平在太空停留了15天。

2012年6月16日
神舟九号的太空人景海鹏、刘旺、刘洋在太空中停留了13天。6月18日神舟九号实现了中国首次载人空间交会对接。

2011年11月1日
神舟八号无人飞船发射升空后，与天宫一号对接，成为一座小型空间站。之后，神舟八号与天宫一号目标飞行器成功分离，返回舱于11月17日返回地面。

第一步："嫦娥一号"与"嫦娥二号"

"嫦娥一号"是我国自主研制的第一个月球探测器，2007年10月24日从西昌卫星发射中心发射。"嫦娥二号"卫星成功获取了一张分辨率120米的月球图像。

"嫦娥二号"卫星于2010年10月1日顺利进入地月转移轨道。完成了一系列工程与科学目标，获得了分辨率为7米的月球表面三维影像、月球物质成分分布图等资料。

"嫦娥二号"在月球工作了半年，完成了全部任务以后，功能还很好，科学家们让它继续运行了150万千米，去到拉格朗日L2点上（这是个很好的观测地点，是天文学家最理想的空间天文台），让它在那里运行。我们的科学家在这个点上获取了很多关于太阳和地球的科学数据。

2013年6月，科学家们决定让"嫦娥二号"再跑远一点，干脆找颗小行星去探测。他们让"嫦娥二号"到一个叫"图塔蒂斯"的小行星上，这颗小行星长得像个大生姜。科学家改变了"嫦娥二号"的轨道，让它去会这颗小行星。结果，我们这颗可爱的卫星在飞跃距离"图塔蒂斯"只有770米的时候，获取了当时最清晰的小行星照片。

"嫦娥二号"现在还在飞，它已经变成一颗小行星，绕着太阳转。

第二步："嫦娥三号"和"嫦娥四号"

"嫦娥三号"由两部分组成，即着陆器、巡视器。这个着陆器是我国第一个在地外天体着陆的飞行器，它带着一台月球车。"嫦娥三号"于2013年12月12日发射，经过100多个小时的飞行到达月亮。"嫦娥三号"落在月球上的位置和预计的只相差1.2米，非常精准。16日凌晨，着陆器上的摄像机拍到了巡视器上面的国旗。随后，月球车在月球上稍稍地休息了一下。

你肯定不知道，月球很奇怪的：它绕着地球转一圈是28天，月球的一天就是地球的28天。所以，月球的一个白天是地球的14天，月球的一个晚上也是地球的14天。"嫦娥三号"落在月球上的时间相当于地球的早上八九点钟，那时候的阳光不强。"嫦娥三号"正常工作两天以后，就到了月球的中午。月球表面温度升到

150摄氏度，再加上它本身工作也会发热，科学家们怕它热坏了，就让它休息了一下。月球的晚上是零下170摄氏度，没有了太阳的照射，好冷啊！"嫦娥三号"发不了电，只能休眠，等到太阳再出来的时候，它才被科学家们唤醒，继续工作。

强大的"嫦娥三号"，现在仍然在月球上坚持工作，就在不久前，"嫦娥三号"携带的月基望远镜传回它在紫外波段拍摄的风车星系M101（黑白图像），这是人类第一次从月球上拍摄星系。星系M101位于大熊座，距离地球2100万光年，小双筒就可以看到，是天文爱好者非常喜欢的目标。

"嫦娥四号"计划在2018年实施发射，它的主要任务是着陆月球表面，继续更深层次、更全面地科学探测月球地质、资源等方面的信息，完善月球的档案资料。

下一步呢？下一步我们当然是要派人登上月球，但还没有确定具体时间。

早在1969年7月16日，阿波罗11号飞船就实现了人类几千年的梦想，完成了空前的登月壮举。第一个登上月球的是美国航天员阿姆斯特朗。他在踏上月球的瞬间宣告："对一个人来说，这只是一小步；但对全人类来说，这是巨大的一次飞跃。"阿姆斯特朗和奥尔德林在月球上停留了2小时31分钟，他们竖起了一面美国国旗，放置了一台激光反射器、一台月震仪和一个捕获太阳风粒子的铝箔帆。另外，他们还拍摄了月球表面、天空和地球的照片，收集了22

公斤的土壤和岩石标本。

后来，美国人布热津斯基访问中国时就送过我们一克样品，0.5克给了博物馆，0.5克给了欧阳自远院士，欧阳自远院士利用这0.5克样品写了很多研究论文。

再看看现在的美国科学家在想什么吧：

美国科学家有一个计划，他们想到太空找一颗小行星，直径大概10米就够了。抓住小行星以后把它带到月球旁边，变成月球的卫星，然后再发射载人航天器，让宇航员和小行星以同一个速度运行，宇航员就可以登陆这颗小行星。

现在你知道了吧，他们现在就想去抓颗星星！我们当然也想去抓一颗。我们国家的经济正在以前所未有的速度发展，我们的科学技术也比以前有了更大的进步。我们现在已经是世界上的航天大国。不久，我们不仅仅要登上月球，我们还会不断向外探索。比如，飞上太空看看火星长什么样子。也许，未来抓到小星星的不是美国人，而是你——中国未来的航天员，加油哦！

亲子活动

动手做一个简易的望远镜。

所需材料：卷纸筒、老花镜镜片、放大镜镜片、硬壳纸。

1. 用胶水把纸筒与老花镜用胶水黏合，组成物镜镜筒。

2. 用胶水把放大镜和纸筒黏合，组成目镜镜筒。

3. 同时拿起物镜镜筒和目镜镜筒（使眼睛、物镜、目镜、景象保持在同一水平线），使目镜保持在距离眼睛5厘米处，慢慢移动物镜镜筒，直到能透过两个镜筒看到清楚的景象，记下物镜和目镜的距离，补全剩下的纸筒。

4. 用一硬纸皮卷成筒状，大小刚好能塞进物镜和目镜镜筒，而且能前后拉动。然后，用卷成的纸筒把两段镜筒接起来。

发展循环经济，拯救人类家园

4

刘焕彬

华南理工大学教授、俄罗斯工程院外籍院士。

从事高等学校教学、科研和管理工作，曾任华南理工大学校长；在制浆造纸过程数学模型与计算机模拟、软测量与自动控制、清洁生产与节能优化等学科方向的科学研究和技术开发中取得了突破性进展和代表性创新成果。

拥有多项发明专利，获得国家级奖励。2004年荣获俄罗斯国家工程学突出贡献伊万·古里宾勋章，2013年荣获首届"叶剑英奖"。

刘伯伯，您说希望我们每个人都成为拯救人类的大英雄，这个要求不会太高了吗？

是这样的，我们中国，乃至整个地球的自然环境近年来都在不断恶化，这归根结底都是我们人类不懂得合理地利用自然资源造成的。只有我们每个人都循环利用自然给我们提供的资源，我们才可能继续拥有这个适合人类居住的唯一家园。

真的吗？这听起来好像也不难嘛。

听起来容易做起来难啊，但我们至少应该从自己做起，慢慢影响身边的人，一步步改变自己的社区、城市、国家甚至这个世界。而循环经济的发展模式，是拯救人类家园的有效途径。

因为要去听刘焕彬爷爷的讲座，爸爸预先给我布置了这样一个题目——"发展循环经济，拯救人类家园"，让我写一篇作文。

"循环经济"是什么？我连它的意思都不知道，要怎么写呢？

"哈哈，你不清楚？没有关系，我带你去看一个农场，之后你就知道了！"爸爸说。他还叫我首先记住"循环利用"这个词。

于是，我跟着爸爸出发了。

爸爸带我去的这个农场叫"有机生态农场"。走进农场后，我第一眼看到的是房顶一大排闪亮耀眼的太阳能板。

爸爸问我："你知道太阳能有什么作用吗？"

我说："加热水，用来洗澡；再就是发电——光伏发电！这个难不倒我。"

"哈哈，你想的和我第一次过来的时候想的一样。其实在这里，他们还用太阳能给粪池加热！"

"加热臭大粪，你没弄错？"

"没错，他们真的是用太阳能给动物的排泄物加热。"

算了吧！骗人，排泄物本来就够臭了，再一加热，不是臭气熏天！哈哈哈，在这里我先卖一个关子，你看到后面就知道了。

这个农场里有养猪场、养鸡场、养鸭场、鱼塘，还有一个很大的果园和蘑菇种植大棚，你想先看哪里？我觉得，你可能最想去看蚯蚓场！

对，你这次也没有听错，他们这里有一个养殖蚯蚓的地方。呵呵，没有听说过吧！我也是来过这里才知道的。其实养殖蚯蚓的场地就在果园的果树下面。别看蚯蚓外表有点恶心，其实它是个很好的动物——帮农民松土，增加土地的肥力，它还是一味很好的中药，叫"地龙"。在这个农场里，蚯蚓并不是主要发挥这些用处，它其实是整个有机循环利用过程中的一个环节。

你知道吗？这个农场不需要用国家一度电，他们自己就有用不完的燃气、不花钱的肥料、没有臭味的厕所，和动物们吃不完的饲料……这些都是他们在利用自然资源的过程中，通过增加一系列的物质进行良性循环来实现的。

比如说，这个蚯蚓养殖场。蚯蚓本身可以做鸡饲料，还可以卖给钓鱼的人做鱼饵，还可以晒干卖给中药店。喂养蚯蚓的饲料，是养殖场的粪便，还有蘑菇房里的废料，再加上沼气池里的干渣滓。你听说过"沼气"吗？住在农村的孩子可能都知道，它可是个好东西。它可以用来煮饭，烧水，还可以点灯！燃烧沼气不会像燃烧煤气、天然气那样发出难闻的味道，非常清洁。

"沼气是怎么来的？也像天然气一样从地下开采出来的吗？"

我很好奇。

　　爸爸把我带到一个很大的水泥圆筒旁，他说这个圆筒就是沼气池。他给我看了一张图，接着说："沼气是用各种动物的排泄物加上没用的落叶、秸秆、稻草等，放在一个密封的大水泥池子里面闷出来的——也就是说，把那些乱七八糟的脏东西全都放在了一起，往里面加上水，它们就会发酵，放出很多沼气。由于温度越高，沼气的发酵速度越快，就会产生更多沼气，所以在这个农场里，他们用太阳能加热水，灌进沼气池里来加快沼气的发酵。"

　　"哦，原来秘密就在这里！爸爸，你前面说的给臭大粪加

45

沼气灯

沼气灶

沼液沼渣施肥

进料口

沼气

出料口

沼气池

热，就是加热水灌进这个沼气池啊。"

爸爸继续介绍道："发酵后的沼气渣滓可以喂蚯蚓，也可以做成鸡饲料和猪饲料。沼气水是非常好的液体肥料，可以提供给树木和蔬菜用。这个农场所有的建筑里面都是恒温的，就连养鸡场都是冬有暖气，夏有凉风（空调），所有的电全是靠太阳能和沼气提供。这里没有废物，一切都被循环再利用了起来。不仅如此，他们还可以把好多农产品卖出去，换回很多钱。"

从爸爸的话里，我知道了，刚刚去看蚯蚓的那个大果园，里面种了好多苹果树、梨子树。蚯蚓们帮果树松土，排出来的沼气池"残渣"就是果树的肥料，特别需要肥料的时候，沼气水可以顶上。果树营养特别好，所以结出来的水果特别甜美。而果树的落叶可以收集起来，放进沼气池里面发酵。

鱼塘旁边是鸭子住的棚屋，还有大白鹅。爸爸说："鸭子和大白鹅可以在鱼塘游动，排出的粪便都被鱼吃掉了。鱼还吃沼气池里的残渣，而鸭子和大白鹅就吃鱼塘里长出来的螺蛳和地里长的草。这个有机生态农场将养猪、养鱼、养鸭、养蚯蚓、养蘑菇、种植果蔬、沼气工程、生产过程合理地组合在一起，形成一个良性循环系统。"

整个农场就是一个自然资源循环利用的典范。农场的运作就是一个完整的循环经济链。在这个经济体里面，不仅没有废弃的东西，事实上，里面的资源在不断循环利用着，同时有很大一部分资

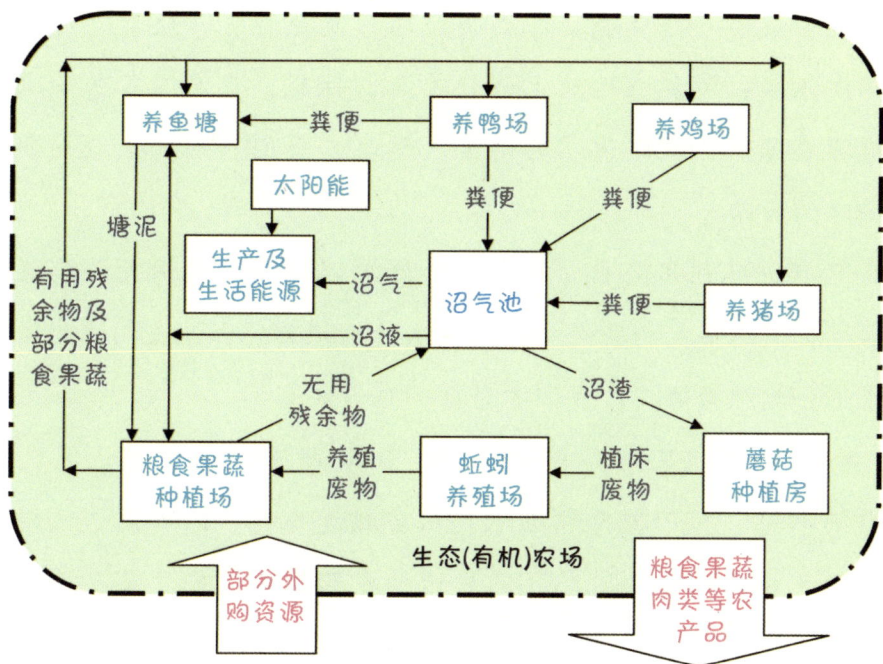

生态（有机）农场资源循环利用示意图

源的价值还在不断增加。

爸爸说："你现在是不是感受到了循环经济的好处？"

我立马点头："是啊。"我现在的确意识到了。我们人类以前都是从自然界取得能源，挖煤炭、开采石油、从矿石里面提炼铁、铝、黄金、白银等金属，在大工厂里面消耗大量能源进行生产；生产过程中又排出废气到空气里，污染空气，污水排放到江河湖海，污染自然环境。

我们地球的资源是有限的，这样源源不断地开采消耗，很快地球就会成为一个空壳，人类将会因为能源和资源缺乏或是严重的环境污染，不能在地球上好好生活。目前，我们国家很多地方都被雾霾笼罩，就是现实的例子。所以，我们一定要找到一个良性循环的出路。

只有循环利用大自然给我们的资源，特别是利用太阳能这样的永远都消耗不完的能源和可循环生长的植物资源，我们才能保护地球不会被污染破坏，我们才会有一个好的家园。

但同时，我又有一个疑惑："不是所有的工厂都能像这个大农场一样，可以完全循环地利用自然资源吧？比如说，做铅笔的工厂，总不能回收笔芯、笔杆这些东西呀，它们总是要被消耗掉的呀。"

爸爸解释道："我们就拿铅笔做例子来说吧。开动机器制造铅笔，需要电，如果我们能用太阳能光伏发电，或者是风力发电，

48

小知识

循环经济：指以"减量化、再利用、资源化"为原则，以提高资源利用效率为核心，促进资源利用由"资源—产品—废物"的线性模式向"资源—产品—废物—再生资源"的循环模式转变，以尽可能少的资源消耗和环境成本，实现经济社会可持续发展，使社会经济系统与自然生态系统相和谐。

那么能源消耗的问题就解决了。铅笔的笔芯是石墨，这个估计是必须消耗的，因为它粉身碎骨地涂在纸上了。包笔芯的笔杆，以前都是木头的，需要砍伐树木，现在我们可以用废纸做笔杆代替木材包裹笔芯的环保铅笔。"

网上说，我们国家一年生产60多亿支铅笔，需要用掉20多万立方米优质椴木。如果改用旧报纸或再生纸做笔杆，每吨废纸可抵5立方米椴木，生产60亿支铅笔只需4万吨废纸。

这太好了，看来循环利用资源是完全可以实现的。

我们人类生活在地球上，位于太阳系中，是多么幸运的事情啊！地球上有很多资源，在人类使用、消耗、加工、燃烧、废弃之后，经过一段时间，它又再次形成，自我更新、复原。比如说，水能、风能、海洋潮汐能、太阳能，这些能源是可以再生和重复使用的。

其实，大部分的可再生能源和资源都是太阳能的储存和释放。可再生的意思不只是提供几十年，而是几百年、几千年。我们完全可以循环利用这些可再生循环的能源和资源。

"人类愚蠢地在地球上生活了几千年！"爸爸说到这里，突然很激动，"古时候科学技术不发达，人们不懂怎么利用，但是，他们的消耗也很少，一直维持在人类消耗与自然增长的平衡和环境容量内。"

两百多年来，科学技术飞速发展，人类却没有变得更明智。

49

大家都在说，地球是我们人类的母亲，我们生命的摇篮，我们唯一可以依赖的美丽家园。可是，我们却没有精心保护地球妈妈，保护地球的生态环境。我们人类就是永远长不大的婴孩啊！我们必须永远吸吮地球妈妈的"乳汁"才能存活。我们需要的"乳汁"就是：空气、水、生物和矿物！

茫茫的宇宙中，人类现在可以活动的范围非常有限。科学家已经证明，至少在以地球为中心40万亿千米的范围内，没有适合人类居住的第二个星球。人类不能奢望在破坏了地球以后再移居到别的星球上去。我们人类生活需要水资源、森林资源、生物资源、大气资源，这些资源本来是可以不断再生，长期给人类做贡献的。但是，因为我们对地球一再进行掠夺式开采；大片毁坏原始森林自然资源；不顾后果地滥用灭虫除草农药化学工业品，特别是大量使用煤和石油这些矿物质能源，向大气中排出过量的二氧化碳温室气体和有害气体等，造成了地球气候变暖及一系列生态灾难。

我在网上看到，煤炭、石油这些资源已经越来越少，到我长大以后，我的孩子们就已经没有这些能源可以用了。如果地球上的各种有用的东西都用完了，要是根本没有地方可以补充，到那个时候，我们人类要怎么生存下去？

爸爸说："你不用担心，我们人类有足够的聪明才智，只要每一个人都能行动起来，真正做到物尽其用，循环使用，这个地球村就会越来越美好。全社会都在讲，现今的经济发展模式需要转变，要由线性经济转变为循环经济。循环经济用最少的资源并把过去所谓的'废物'循环利用，在生产更多更好产品的同时减少环境污染。就拿我们国家来说吧，你认为生活在中国的人，最希望自己的生活是什么样子的？"

"我觉得，人人都有很多好吃的，有大屋子可以住，有很多漂亮的衣服，出门可以开着大豪车……对了，我们必须强大我们的国家。"

"想得很全面呀，再次表扬！等一下我奖励你，带你去吃生态大餐，哈哈哈！"爸爸说道。我们的党中央提出要建设美丽中国。美丽中国指的就是你说的这些内容。就是要我们的国民吃好、穿好、用好，生态环境也要良好，人们健康长寿，而且要能够永远这样发展下去。这就是你常听到大人们说的"可持续发展"。

要想我们的国民吃好、穿好、用好，我们的经济必须高度发

达，可是，经济发展就会大量消耗自然资源，严重污染环境。我们已经在遭受自然界的无情报复——现在我们喝不上干净的水，呼吸不上新鲜的空气，吃不上干净的食品，这是自然界对人类的报复，是线性经济模式带来的严重后果。要解决这些问题，就一定要采用循环经济的发展模式。

爸爸说："你有没有听说过'城市矿山'？"

我摇摇头说："没有。在城市里面发现的新矿山？"

"哈哈哈，"我把爸爸逗笑了。他拿出手机翻出一张图片给我看。

"什么呀，这不就是一个废旧电器的垃圾堆嘛。"

"对呀，这个就是我们现在所说的'城市矿山'。"

我们人类对地球掠夺式的开采已经进行了三百多年，全球80%以上可工业化利用的矿产资源，已从地下转移到地上，经工业加工变成产品或能源。生产过程中产生的"生产废物"和使用后的"产品废物"，过去都以垃圾的形态堆积在人们周围，总量有数千亿吨，并以每年100亿吨的数量增加，这还仅仅是电子和金属废物等的数量。这些废旧的家电、电子垃圾富含锂、钛、黄金、铟、银、锑、钴、钯等稀贵金属。

啊，我明白了。"城市矿山"就是堆在我们城市里的电器垃圾堆。如果我们回收再利用它们，就不用到地下去挖，在矿石里面提炼，就不用消耗大自然里的东西。也就是说，让它们全都进入循

小知识

　　1吨废旧手机可提炼400克黄金、2.3公斤银、172克铜；1吨废旧电脑可提炼出300克黄金、1公斤银、150克铜及近2公斤其他稀有金属。据2010年联合国环境规划署发布的报告，我国已成为世界第二大电子垃圾生产国，每年生产超过230万吨电子垃圾，仅次于美国的300万吨。

环利用的大圈子里面来，一直循环着用下去。

　　是的，不仅仅是废旧电器，家居固体废物、生活垃圾、市政污泥、人畜粪便、工业垃圾、农林废弃物、钢厂废渣、建筑废渣等，都是可以循环再利用的。人畜粪便、秸秆等可以发酵制造沼气，用来烧饭点灯，还可以加工成高效的有机肥料和饲料等；地沟油、废油可以制成生物柴油；钢厂废渣、建筑废渣可以用来筑路，还可以用来打印房子——最新科技成果，3D打印的房子。

　　但是，要想把城市矿山利用起来，也不是件容易的事情。特别是在我们中国，因为我们没有垃圾分类的习惯。在绝大多数的家庭里，人们都是把所有干、湿垃圾统统丢在家里的垃圾桶里，然后，用垃圾袋装好，拿出去丢进公共大垃圾桶。就是因为这个不好的习惯，使得我们的城市矿山很难得到开发和回收。

　　怪不得，爸爸和妈妈在家里放两个垃圾桶，一个丢果皮饭渣这些湿的垃圾，另一个放干垃圾。

是啊，我们只有从自己做起，才能在全社会实现垃圾分类、收集、运输和处理，才能让"城市矿山"得到开发，让各种资源得到回收，这只是循环再利用的第一步。

在我们中国，开发"城市矿山"还有一个大问题，这个是我们的硬伤——就是技术水平还很低下。目前我国的很多小规模垃圾处理厂采用的设备存在能耗大的问题，自动化的程度与国外水平相比也有一定差距。我国很多垃圾处理的先进技术设备基本都是从国外引进的，花了很多钱，买到的多数是不适应国内状况的设备，无法发挥应有的作用。

怎么会这样呢？买回来的垃圾处理机器不好吗？为什么不能好好处理我们的垃圾？因为每个国家的垃圾都有各自的"特色"，他们设计的垃圾处理机器能够很完善地处理他们自己的垃圾。我们中国的垃圾，含水量高、热值低、厨余物含量高，垃圾分类做得不好，所以，必须生产出适合我们国家自己"特色"的机器设备，同时做好分类，才能更好地处理垃圾。

爸爸说，为了解决这些问题，科学家们、企业家们投入了大量的精力和财力。

"那我们不是很快就会有自己的垃圾处理机器？"

"我相信一定会的。你们小朋友，也能为循环利用自然资源做很多事情哦！"

"真的吗？我们能做什么，设计处理垃圾的大机器？呵呵，那要等我长大以后才行。"

"你现在就可以做很多呀。最简单的就是在家里把垃圾分类做好，你说呢？"

"哦，这个，没问题。"

"这可是你说的哦。其实不用的东西不一定非要都丢进垃圾桶。废电池、玻璃瓶子、塑料包装袋、泡沫包装盒、不需要的旧电器等，都可以收集起来，拿到废品回收站。"

"爸爸，我突然有一个想法，我想回学校弄一个'垃圾分类周'。让我们学校的同学们都参与垃圾分类，让他们知道垃圾分类对我们有多重要。"

小知识

正确的垃圾分类方法

●再生利用价值较高，能进入废品回收渠道的垃圾

纸类、金属、玻璃、除塑料袋外的塑料制品、橡胶及橡胶制品、牛奶盒等利乐包装、饮料瓶等等。

●厨房产生的食物类垃圾以及果皮等

剩菜剩饭与西餐糕点等食物残余、玉米梗、菜叶、动物骨骼内脏、茶叶渣、水果残余、果壳瓜皮、植物的残枝落叶、废弃食用油等。

●除去可回收物、有害垃圾、厨房垃圾之外的所有垃圾

受污染与无法再生的纸张、受污染或其他不可回收的玻璃、塑料袋与其他受污染的塑料制品、废旧衣物与其他纺织品、破旧陶瓷品、妇女卫生用品、一次性餐具、贝壳、烟头、灰土等。

●含有有毒有害化学物质的垃圾

电池、废旧电子产品、废旧灯管灯泡、过期药品、过期日用化妆用品、染发剂、杀虫剂容器、除草剂容器、废弃水银温度计、废油漆桶、废打印机墨盒、硒鼓等。

"太好了！你这个想法我大力支持。"

"我回去就找老师商量。"

"哈哈哈，带你出来这一趟，你收获很大啊！你现在要是去听刘焕彬爷爷的讲座，我觉得已经没有太多难度。他要讲的就是'发展循环经济，建设美丽中国'。"

"其实，你们每一个小朋友如果都能从身边的一点一滴做起——洗澡的时候动作快一点，草稿纸双面用，淘米水浇花、冲厕所等，在垃圾分类方面再做出一些小贡献，那么，你们每个人都可以称得上是"拯救地球的小英雄"咯。"

"爸爸，我觉得保护我们的环境，根本不能算是在拯救地球。地球在人类不存在的几十亿年里，一直好端端地存在着，是我们人类自己的活动影响了地球的环境啊！我们只是在拯救我们人类自己。"

"说得好极了！爸爸特别开心。有你这样的下一代，我们的国家会越来越美丽，我们的地球村也一定会越来越繁荣。走，我们去吃有机大餐。"

哇哦！有机生态农场的出品真是味道好极了！有机会，你们有时间也来这里玩玩呗。

亲子活动

学习应该如何处理电子垃圾。

●捐赠

在丢弃电子产品前，看是否有亲友需要，一些学校或公益组织可能也需要这些设备，自己不需要的电子产品在别人手里或许可以使用更久。

●升级

有时候并不一定需要购买新的电子产品，升级手中的设备可以延长其使用寿命。

●回收

看是否有当地的组织或商家回收这些电子产品。有效回收废旧的电子产品可以保证其中的一些部件重复使用。

●储存

如果当地暂时设有回收废旧电子产品的机构，在自己有充足空间的情况下，可以考虑先储存这些电子产品。

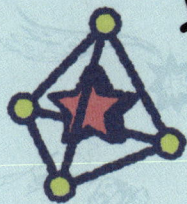

5 龙子龙孙龙建筑

何镜堂

中国工程院院士，建筑学家。

现任华南理工大学建筑学院名誉院长、建筑设计研究院院长，教授，博士生导师，总建筑师。

他长期从事建筑设计、教学和研究工作，创立"两观三性"建筑论，坚持中国特色创作道路，探索出"产学研"三结合发展模式，主持设计了2010年上海世博会中国馆、侵华日军南京大屠杀遇难同胞纪念馆扩建工程及胜利纪念馆等一大批在国内外有较大影响的优秀作品，获得多项国家级及省部级奖项，并发表上百篇学术论文。

哇！2010年上海世博会中国馆、侵华日军南京大屠杀遇难同胞纪念馆扩建工程、大厂民族宫、胜利纪念馆、侵华日军731部队罪证纪念馆、映秀震中纪念馆、钱学森纪念馆、西汉南越王墓博物馆、澳门大学横琴新校区等，这么多漂亮的建筑都是您设计的吗？

是啊。我是一个建筑总建筑师嘛。作为中国建筑学会副理事长，我希望为中国人民设计出更漂亮、更有中国特色的建筑。我们是龙的传人，龙子龙孙当然要住"龙建筑"！

60

2010年，第41届世界博览会在上海举办，何镜堂先生的团队中标负责上海世博会中国馆的设计与建造。他说："感觉非常荣幸，这是一个非常好的机会，也是我们一个很重的历史责任，中国馆必须代表中国的文化和精神。"

"过去几十年来我们搞了很多工程，每个工程都是跟一个城市或者跟一个公司发生关系，而世博会的中国馆是跟全国人民发生关系，13亿人民都是甲方，外国的朋友也会看到，所以我的压力是非常大的。"

61

"另外，中国馆必须体现我们国家正在走向富强、泱泱大国崛起、不卑不亢的形象。我们从中国的传统造型，特别是从中国的传统建筑和园林里得到启发来着手设计，希望人们，特别是外国人一看就知道这是中国馆。"

"对于建筑的色彩，国务院常委会最后落实下来的方案就是中国红。很多人问我什么叫'中国红'，我也不知道怎么解释中国红，经过很多对比方案之后，才确定了这个红颜色为中国红。"

何镜堂院士说："图纸出来的时候，非常有争议，最后盖起来，老百姓非常赞成这个建筑，外国人也认为这代表了中国，我感到很欣慰。这个建筑叫'东方之冠'，有人说像古时候的冠帽，有人说像个大粮仓，重庆人说像个火锅，成都人说这像个打麻将的桌子……但是每个人都说这是中国的，这就好了。"

为什么我们所有人一看就觉得它是中国式的建筑呢？你看看，它的外形是不是很像中国建筑标志性的构件——斗拱。

斗拱缘起于战国时代，在汉朝时得到了极大的发展。你有没有听说过"秦砖汉瓦"？汉朝的瓦当以动物装饰最为优秀：有造型完美的青龙、白虎、朱雀、玄武四神（我们现在看到的这四个神的模样就是从这里演化的哦），还有兔、鹿、

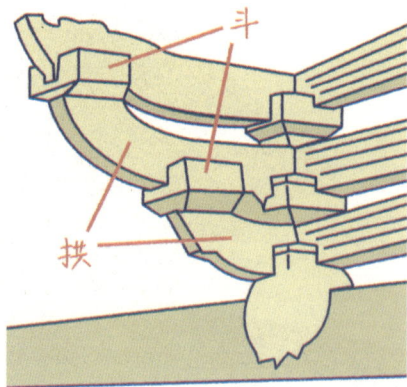

牛、马等；我们平时说"秦砖汉瓦"，就是因为那个时期的建筑装饰极其辉煌。当时以"秦砖汉瓦"和木结构的完整建筑结构体系，史称"土木之功"。这种斗拱支撑，又有完美艺术装饰的建筑，体现了汉族住房建筑浓厚的民族风格。

名震千百年的阿房宫就是那个时候的建筑。阿房宫的结构和装饰非常华美，其间雕梁画栋，壁画、壁饰充满各个角落。

几千年来，中国人的老祖宗们创作并发展出一套独特的建筑和样式。自豪吧！我们中国历史悠长，我们是龙的传人，嘿嘿，也就是龙子龙孙，对不对？

63

龙子龙孙当然要住龙建筑！先给你们介绍几个古老而辉煌的中国古建筑吧。

首先是唐代著名的"大明宫"。据说大明宫周长超过7.6千米，面积约3.2平方千米。宫内共有11个城门，其东、西、北三面都有夹城；南部有三道宫墙护卫，墙外的丹凤门大街宽达176米，是唐代最为宏伟的宫殿建筑群。经考古发掘，在大明宫内有含元殿、麟德殿、三清殿等大型遗址。格局很接近现在的北京天安门。可惜大明宫于唐末战乱烧毁。

唐朝（公元618—907年）是中国封建社会经济文化发展的高潮时期，在建筑的技术和艺术上都取得了辉煌成就。唐朝建筑规模宏大，气势磅礴，庄重大方，整齐而不呆板，古朴却富有活力。

还有五台山的佛光寺，这座建筑是木头做成的，已经经历了一千一百多年的风雨。在没有发现佛光寺之前，日本人以嘲讽的口气说：在中国，已经没有唐代时期的木构建筑，要看中国唐代木构建筑，就去日本的奈良、京都吧。

1937年6月，梁思成与夫人林徽因辗转访问了一些寺庙后，终于来到佛光寺。在寺内僧众的帮助下，他们在殿内搭起了架子，拭去千年尘封，终于在大殿木梁上找到唐代墨书，确凿无疑地证实：中国有唐代木构建筑。梁思成激动地称其为"中国第一国宝"。回到北京后，梁思成撰写了《记五台山佛光寺的建筑》，轰动了中外建筑学界，佛光寺从此真容得现，被誉为"亚洲佛光"。

然后，当然就是要说说我们首都北京的天安门。

我们中国历代都建有大量宫殿，但只有明清的宫殿——北京故宫、沈阳故宫得以保存至今，成为中华文化的无价之宝。北京故宫，旧称为紫禁城，是中国明清两代24位皇帝的宫殿。它是中国古代宫廷建筑之精华，无与伦比的建筑杰作，也是世界上现存规模最大、保存最为完整的木质结构古建筑之一。它占地面积约为72万平方米，建筑面积约为15万平方米，有大小宫殿七十多座，房屋九千余间。宫殿的建筑全是木结构、黄琉璃的瓦顶、青白石底座，令人叹为观止。

我们中国的古建筑这么恢宏壮观，为什么我们现在不盖这样的房子来居住呢？哈哈哈，因为，我们并不是生活在古代，我们生活在拥有13亿人口的现代中国。何镜堂院士设计的"东方之冠"，也只是外表采用了类似斗拱的形状，内部构成是很现代的。

现在的中国人口众多，住房紧张，而且环境问题很严重，必须保护森林资源。我们没有那么多木头用来盖斗拱结构房屋，但是新的科学技术为我们提供了更多更好的建筑材料：钢筋、水泥、人造板材等。用这些先进的建材，我们建造出了更加恢宏的现代建筑。

最近三十年，我们的大楼一座比一座建得高。广州"小蛮腰"，也就是广州塔，主体高454米，天线桅杆高146米，总高度600米，是中国第一高电视塔。上海陆家嘴已经成了世界级别的摩

天大楼群，其中最高的建筑主体为上海中心大厦，118层，总高为632米。

是的，我们国家自从改革开放以来，越来越富强，随着新技术、新材料、新工艺的出现，建筑也呈现出多元化和跨文化发展的大趋势。中国成了全世界建筑师实现他们奇思妙想的实验场。很多城市相继出现了"摩天丛林"。中国摩天大楼建设开启了疯狂加速度的模式。

我们中国人的老祖宗留下天人合一的和谐观，让我们中国式的建筑，在设计上一定要以人为本，因为建筑是给人住的，同时也要让建筑与自然和谐共生的。有很多中国建筑师秉承老祖宗的教

导，结合现代人的需求，将中国传统建筑风格与西方建筑文化相结合，创造出中国建筑新风格。

著名建筑评论家、清华大学教授曾昭奋最早把中国建筑新风格定为北京的"京派"、上海的"海派"和广州的"广派"（"岭南派"）。

我们现在以岭南建筑为例，看一看建筑与地区结合是什么样子的。

岭南，通常是指中国南方的五岭之南的地区。它具有热带、亚热带季风海洋性气候特点，大部分地区属于亚热带湿热季风气候特点。——就是比较热，比较潮湿啦！岭南建筑融合了本地的气候、地理和民俗等因素，在村落、街区、建筑、园林和装饰艺术上，形成独具特色的岭南建筑风格。

何镜堂院士说："岭南建筑的特点是在布局上自然流畅，不拘一格。比较炎热的气候要求人们生活在一个开敞的空间里，营造一种低碳、节能、绿色的自然生活环境；并注重通风、遮阳、隔热、防潮，注重与周边气候环境、人文和生活习俗结合，强调经济适用。在风格上体现朴素、通透、淡雅、明快的特点；在打造工艺上因陋就简，因地制宜，就地取材。"

现代建筑设计最重要的是什么？

建筑是人建造出来的，归根到底是要给人用的，所以，第一，建筑要坚固安全。如果一个建筑还没投入使用就倒了，更恐怖的是，刚用不久就倒了，后果很严重！

第二，建筑要低碳实用多功能。我们在科幻电影中常常会看到一些高科技的住宅，它们智能化，让人不由得感叹——如果我也能住在这样的地方就好了。

新技术、新材料让我们的建筑越来越趋向智能化——我们已经发明了低能耗、低排放的住宅。有太阳能自给自足，能够储热和储电，夏天储备的能耗可以到冬天用，基本上不耗费能源。我们用3D打印技术，三天就能打印出一栋房子；我们还可以收集雨水，用来浇灌花园、冲洗厕所等。智能建筑让现在人们的居住环境更环保，更舒适，更方便。

第三，我们对设计出来的建筑要求是：美观漂亮，有自己的特色。就像我们都喜欢穿漂亮的衣服一样，我们同样喜欢漂亮的建筑，涂着漂亮的色彩，屹立在漂亮的环境里。

我们应该多设计一些有中国特色的美丽建筑，毕竟，我们是龙子龙孙啊。龙子龙孙住在龙建筑里，你觉得是不是应该这样啊！

异想天开

设想一：未来我的房子里有一个智能屋，如果外面发洪水，房子变成一艘潜水艇，马上潜入水中央，既可以躲过水灾，还可以欣赏水里各种各样的鱼！如果外面起了沙尘暴，启动防沙尘暴装置，屋顶射出一股气墙，气墙紧紧地罩住了房子，只要沙尘暴一靠近，气墙就会将沙尘弹开，沙尘暴离开后，气墙就会消失。

设想二：未来的房子搬家可方便了。你只要按一下缩小按钮，房子一下子就变成篮子大小了，一点儿也不重，里面所有的东西和家具也变成了蚂蚁大小，那么你只要提着房子，走到你要新居住的地方，按下放大按钮，它就立刻变成了原来房子的大小了。

设想三：走进房子，你会发现墙上有一排按钮，这些按钮都有各种用处。如果时间长了，房子旧了，只要按一下黄色按钮，房子就会变新；如果人口增多了，只要按一下红色按钮，房子就会立刻变大；如果觉得房子样式不好看，只要按一下绿色按钮……

就像我的一个好朋友说的："虽然现在还没有发明出这样的房子，但是我相信，只要我们好好学习，长大后就一定会发明出这样的房子。"

69

亲子活动

　　将"斗拱"变成"玩具"。

　　在立柱和横梁交接处，从柱顶上加的一层层探出成弓形的承重结构叫"拱"，拱与拱之间垫的方形木块叫"斗"，合称斗拱。

　　材料："斗拱"积木。

　　方式：发挥自己的想象力，用不同排列顺序拼搭出图形、建筑等各种有趣的东西。你可以横着搭，竖着搭，搭成你觉得酷酷的形状就可以了。

6

让供电系统长一个会思考的"脑袋"

李立浧

中国工程院院士。

从事电网技术研究和电网建设。曾主持多项国家"973""863"等重大科技项目。为推进我国电网技术发展，尤其是直流输电技术与交直流并联电网运行技术跨入国际先进行列做出了贡献。

现任中国南方电网公司专家委员会秘书长，华南理工大学教授、博士生导师、电力学院名誉院长。

供电系统怎么会有脑袋呢？

我是一个电力专家。我们电力专家将会把人类独一无二的"智慧"能力"移植"到供电的系统里面，让供电系统长上自己的"脑袋"。

72

让供电系统长脑袋对我们的生活有什么好处呢？

如果供电系统有了脑袋，电网就可以更加安全稳定地运行，降低大规模停电的风险，还可以提高人们用电的效率，减少浪费。看看下面的文章你就会知道了。

假设世界上没有电会怎么样？不知道你有没有想过这个问题？如果没有电，点上蜡烛就行了吗？

哈哈哈——没有电，绝对不是点蜡烛那么简单。

从你一出生，世界就在电光的照耀之下。电是我们生活的一部分，并且是完全不可缺少的一部分。因为有电，我们才有了光明的夜晚：你可以在晚上玩很久，爸爸妈妈可以在夜晚工作。如果是黑暗的，那么我们的世界一到晚上，就只有寂静。没有电，就没有我们现代的工业。也就是说，你就不能天天看电视、打电话、玩电子游戏，很多很多你喜欢的东西都会消失。

地球上也不会有现在这么多人。因为，没有大工业生产，靠人们手工劳动生产出来的东西太少了，根本养不活现在这么多的人口——做不出那么多衣服，造不出那么多房子，也种不出那么多粮食。

电是人类迄今为止最能干的好帮手：它进入我们生活中后，工业迅速发展起来，人们从效率低下的蒸汽时代，跳跃着进入了日新月异的电气时代。

电气时代也叫第二次工业革命时期。1866年，德国人西门子

小知识

感谢那些让我们用上电的人：

◆远在2500多年前，古希腊人就发现用毛皮摩擦过的琥珀能吸引一些像绒毛、麦秆等轻小的东西，他们把这种现象称作"电"。

◆1600年，英国医生吉尔伯特（1544—1603年）做了多年的实验，发现了"电力""电吸引"等现象，因此，许多人称他是电学研究之父。

◆18世纪中叶，美国大电学家富兰克林进一步揭示了电的性质，提出了"电流"这一术语。富兰克林于1752年通过著名的"风筝实验"捕捉闪电，证明了天上的闪电和地面上的电是一回事。

◆1801年，意大利物理学教授伏打（Alessandro Volta）发明了著名的"伏打电池"。这使人类第一次获得了可以人为控制的持续电流，为电在我们生活中的应用打开了大门。

制成了发电机，接着可用的发电机问世，电成为补充和取代蒸汽动力的能源。随后，电灯、电车、电影放映机相继问世，汽车和飞机也被发明和运用，这都是电气时代的重大成就。

我们现在还生活在电气时代吗？不，我们现在生活在第三次科技革命的时代。二十世纪四五十年代以后，人类在原子能、电子计算机、微电子技术、航天技术、分子生物学和遗传工程等领域的研究取得重大突破，我们开始高速发展和进步。这是一个多么了不起的时代啊——人们开始把人的智慧输送给机器，开发出智能机器。

时代发展到今天，最关键还是有了"电"——我们人类将电能运用到生活的方方面面，才有今天的美好生活。未来的智能电力发展，还会把你带向什么样的先进时代呢？——智能，你必须记住这两个字，未来一定是一个智能的新时代。

就拿你居住的城市来说吧，城市的供电系统将会是智能电网系统。智慧是我们人类大脑具有的独一无二的能力，正是因为我们会思考，才会有发明，有创造，社会才会一直进步。

而现在，我们正在尝试把人类的独一无二的智慧"移植"到供电系统上，让它长上自己的脑袋。如果未来的供电系统有它自己的头脑，能够思考，智慧地处理人们用电的需求，我们的家庭生活会是什么样子呢？

现在我们的家里都有电表，它的功能就是记录你们家用了几度电，根据这个读数，供电局会算出你家每个月交多少电费。

那么长上了脑袋的电表能为我们做什么呢？

75

首先，这可是个天大的秘密哦！——如果用上了智能电网，你家可以节省很多电费。

为什么呢？为了讲清楚这个问题，我还是先给你们讲一个故事，这样就容易明白了。

有这样一个城市，地域广阔，人口众多。在这个城市里只有一家饭店！虽然这家饭店规模十分庞大，但全城只有这一家，这实在是挺匪夷所思的一件事。更让人惊讶的是，这个城市里的人个个都好吃懒做，大家都很少自己做饭。所以这家大饭店必须供应整个城市的伙食！

饭店买了很多锅，请了很多厨师，雇了很多外卖员。一到吃饭的时间，厨师们就使出浑身解数拼命地做饭，外卖小哥就拼命地给别人送餐。

——忘记介绍了，这家店只提供外卖。

这家饭店作为全城唯一的，雇用的厨师必须足够多才行，不然做不出那么多饭菜。结果呢，一过了吃饭时间，厨师们都无所事事，闲得发慌。厨师不能少雇，但他们在大部分的时间里都无所事事却要拿很多工资。

故事就是这样了，你有没有感觉这故事里的城市简直荒诞可笑，不可能有这样的城市。

是的，这样的城市是没有，但是我们的供电系统的运作模式就和这个城市是一模一样的哦！在我们居住的城市里面，发电站就是那个大饭店，我们这些用电的居民、商店、工厂、学校就是"吃"电的人。我们自己都不会发电，只有很少的一部分单位配备有小型的发电机，在电厂停电的时候才自己发一点电来应急。虚拟城市中送外卖的小哥，就相当于我们的输电线，而厨师就是发电机。

如果我们把饭店看作发电站，把饭菜看作电能，把厨师看作发电机，把快递员看作电线电缆，那么我们供电系统的问题就凸显出来了吧。

事情就是这样的，我们人类会集中很多钱在一个地方修建一个巨大的发电站，然后整个城市——不，往往是好几个城市的电都要靠这一个发电站来提供。城市里面呢？除了一部分医院、星级酒店、公共交通部门会配备一些发电机以外，其他的发电设施几乎就没有！而且，这些发电机也只有在停电的时候拿出来用一下。

发电站肯定不会建在市区吧？为了把电输送出来，我们必须修好多好多的电线杆，挂好长好长的电线，这样才能把好远好远的电能输送进城市。而且电能在输送的过程中会产生很多损耗。你猜猜看，损耗会有多大？让我告诉你，中国约有五分之一的电能就在传输过程中被浪费了！这个可是我们辛辛苦苦才发出来的电能啊！

另外，还有一个资源浪费的问题。你知道吗？人们一天之内的用电情况可不是一成不变的，用电跟吃饭一样，都是有高峰期的。

小知识

用电高峰期：一般来说，人们用电的高峰期是上午八点到晚上九点。为了满足城市居民的高峰期用电，发电站不得不建造很多台超高功率的发电机，但是到了大家用电少的时候，那些发电机就闲置在那里。投资这些发电机是需要很多钱的。输电线消耗的电，发电站多投入的电力设备所花费的钱，全都要加在电费里面由用户负担。

78

如果把电脑这个智能系统与我们的供电网络结合起来之后，供电的方式就会产生很大的变化：现在，我们的供电系统，是单纯的一边发电，一边用电的结构，就像一条线的两头一样；将来，我们可以在每一个用电的地方装上智能电表，所有用电的、发电的家家户户互相联通，可以共享电能，而不是单一的从发电站里取电。

这怎么可能呢？发电站不是只有一个吗？刚才不是说，就像一个城市只有一家饭店？

这个问题很关键。

未来的智能电网首先就是一个多头发电的状态，而不是像现在这样只有一家。也就是说，我们不希望大多数普通人只充当电能的使用者，我们希望大多数人都有自己发电的能力！

让一户人家自己发电好像没有问题，但是让家家户户都能发

电呢？我也觉得这不太可行。但还是有很多可行的方案。我给你们介绍一个新的设备——家庭光伏发电设备，包括太阳能电池、电线、电表，再加上一个小小的家用配电箱。简单吧！

如果我们城市的每一栋大楼都安装这个设备，那么我们的每一栋楼就成了小型的光伏发电站。如果能做到这样，我们的智能电网才能真的开始发挥作用。

既然这样的设备都已经发明出来，为什么不赶紧装呢？——饭要一口一口吃，事情要一件一件来做，是不是？我们是有了这样的设备，但是还有很多问题，使得现在的人们不愿意安装这个设备。我们需要时间来解决这些问题。比如说，有一个新游戏出来，会不会大家都喜欢？——不一定吧。真实的情况可能是有些小朋友喜欢，有些小朋友不喜欢，还有很多小朋友根本就不知道有这个游戏。所以，设计游戏的人要宣传推广，让更多的小朋友知道这个游戏，并且去玩这个游戏。玩的人多了，那些原来不喜欢的人也会来凑热闹，玩一玩，也许玩过之后，他也会觉得很有趣。

你看，安装光伏发电设备就像是一个新开发出来的"游戏"一样。我们需要一些时间，做一些宣传，才能让更多人知道它，了解它，进而使用它。

光伏发电设备能不能在我们的城市中普及，我也不知道。不过，实现供电网络的智能化——智能电网是我们现在正在做，并且不做不行的事情。

智能电网首先要解决能源枯竭和环保问题。我们不能再发展大的火力发电站，因为这会污染环境。智能电网还有一个很大的好处，就是可以避免大面积停电事故的发生。

十几年前，发生过一次据说是北美历史上最严重的停电事故——那是2003年8月14日，天气最热的时候，美国东北部和加拿大部分地区突然发生大面积停电事故。直接原因是美国俄亥俄州北部三条超高压输电线路突然发生故障。由于警报系统失灵，控制人员未能及时采取有效措施，导致输电系统出现连锁反应，并在一小时之内蔓延到纽约及加拿大的多伦多。停电事故导致美国东部及加拿大部分地区近5000万人陷入一片黑暗。

再说一个例子——丹麦，现在的丹麦采用"电力分布式能源"，他们的家庭发电比例很高，大约五户人家里就有一户安装了家庭发电机。我们把丹麦这种发电模式称为"高渗透率的分布式发电"，这对于大型停电事故是最有效的预防手段，这种供电的方式和效率应该是最可靠的。

当然了，丹麦的发电系统还不算是真正的智能电网，因为很大一部分丹麦家庭发电机都是完全私人使用的，不像智能电网设计的那样支持公用电网的运作。但是这毕竟给我们开了一个好头，让我们意识到智能电网的构建是有益的，并且是有可能的。

我们再来看看德国，德国可再生能源的发展从2000年启动以来发展得比较好。他们的风力发电量占全国电力消费总量已经超过10%，光伏发电的比例也达到了6.9%。（我们国家这两项加起来还不到2%）

你们看，只有一个发电站的话，就意味着发电站永远不能休息，要源源不断地工作。一旦出现问题，那就会导致整个城市全部停电。在以后智能电网的城市，发生大规模停电的概率几乎为零——全市几千几万台发电机同时出现故障？怎么可能那么巧嘛！

我们未来的智能电网会是什么样的呢？

首先给你家换上一个智能电能表——当然，最关键不是只有你家——所有的家庭、工厂、学校、企业、单位……凡是需要用电

81

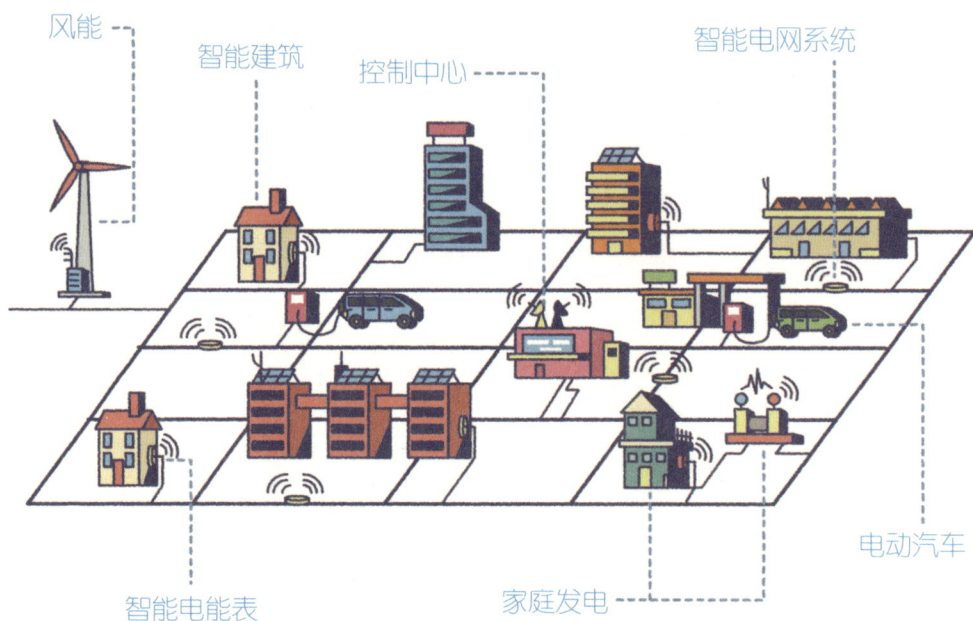

风能
智能建筑
控制中心
智能电网系统
智能电能表
家庭发电
电动汽车

的地方都会装上智能电能表。

　　智能电能表可以收集每一个用电地方的用电数据，把所有数据都告诉电力生产基地，包括各大煤电基地、水电基地、核电基地、可再生能源基地。电力生产基地可以根据大家传过去的信息自动调整生产能力。

　　聪明的电力公司会在高峰用电时间里提高电的价格，在非高峰用电时降低电的价格。比如，你家想洗衣服，在用电高峰的上午八点到晚上九点，你家的洗衣机不要开，如果开，就要多付电费。比如晚上九点，已经是负荷的低谷，再来用电，价格就比较便宜。

　　这些只是为你的家庭节省一点点钱而已，更大的好处是对全社会的。

　　未来，我们建成的智能电网可以全面管理国家里所有的发电设备，将生产出来的电跨区域、远距离、大容量、低损耗、高效率输送出去。使每一个用电的用户都会能按自己的需求用电。比如：现在的三峡电站年最大发电能力约1000亿千瓦时，你想想，三峡两岸的人民肯定用不完，智能电网可以把它输送到需要用电的任何地方，甚至连一个手指都不用动，电网自己就已经解决了。是不是很神奇呢？

　　未来，我们会拥有更安全稳定的输送电网。也就是说，你可能再也不会遭遇到长时间、大规模停电的状况了——当一个地方的电网出现问题，智能电网系统就会马上自动采取行动，并入新的供电网络，及时修理，排除故障。

　　未来，我们会使用更清洁的能源，人们会住在智能屋中，使用自己家发的电。太阳能、风能和你与家人体育锻炼时使用的体力（比如健身跑步机、健身自行车等）都可以用来发电。或者，你家里产生的电能自己用不完，智能电网可以购买你家庭多余的电能——呵呵呵，你家就不用付电费了，还可以发电赚到钱。

　　未来，使用清洁能源的汽车肯定会取代现在使用汽油的汽车，对吧？电动汽车现在已经不是幻想，就连悬磁浮个人驾驶汽车都已经不是概念，而是现实——可惜，充电是个问题，这让我们的电动车完全不可能开到荒郊野外。

为了达到车通天下，必须建立完善的供电充电站。2010年11月8日，广州首个公共电动汽车充电站在亚运城投入运行：配备2台直流充电桩和1台交流充电桩，直流输出功率10千瓦到400千瓦。电动轿车最短充电时间为18分钟，中型车辆最短的充电时间为30分钟，大型车辆最短充电时间为45分钟。

智能电网在未来所能体现的好处还有很多，绝不是上面所说的这么一点点。智能电网离我们有多远？它已经在我们身边，正在建设中。完全建设完成会是什么时候呢？呵呵呵，这是一个好问题，也是一个笨问题。答案是——不会完成！因为没有最好，只有更好。

84

异想天开

或许，你可以在将来为我们的电网找到一种传导电能的导线——这可是供电网络的基础啊。现在的传导线耗能大，安全性也有待提高。

或许，你可以发现一个新的传输方式，就像我们以前用的电话是有线的，现在是无线，对吧？

或许，你会找到一种植物，或发明一种高能量植物，栽种出类似汽油的燃料。

或许，你可以为收集电能发明一种新方式——把闪电抓下来？把海里的电鳗发出的生物电能收集起来。

或许，你可以在我们的航天科技发展的基础上，去太空建一个电站，或者在月球上或者在地球上几百万公里以外的地方建一个电站，我们把它建成微波传送到地面，地面接收以后再转化成电能，这是取之不尽、用之不竭的干净能源。

从小学、中学、大学，一直朝着你想要靠近的目标努力吧，我期待着你的成功。你一定行的！

85

亲子活动

认识现在的家用电表，计算当月你家用了多少度电。

1. 让你爸爸或妈妈带你看一看你们家的电表。

2. 让家长把上个月的电费清单拿给你，看看上个月的用电表读数是多少。

3. 现在电表的读数减去上个月的读数，就是你家这个月用的电费。

数学能力强的小朋友还可以算算你家这个月要交多少电费哦。

太阳公公必杀技

魏奉思

中国科学院院士。

长期致力于我国空间科学学科的研究、开拓与发展，负责起草的关于空间天气发展战略的报告受到中央高度重视，为我国空间天气科学的发展做出了重要贡献。获得国家和中科院自然科学奖6项。

现任国家基金委优先发展领域"日地空间环境与空间天气"学科指导与评估小组组长，中科院空间科学与应用研究中心研究员、学术委员会副主任。

十多年来，我一直致力于我国空间天气科学事业的开拓与发展，创建了空间天气学国家重点实验室。

啥叫"空间天气"？

空间天气是指直接影响我们地球或人类生存发展的空间里情况的变化。现在空间天气环境的最大尺度是太阳系，也就是太阳活动控制的空间范围；再有一个就是直接影响我们地球的日地空间。今天就先讲讲太阳风暴。

说到太阳，大家都很熟悉吧！只要天气晴朗，太阳就会悬在我们头上。太阳一直在为我们的地球供应能量，因为有了太阳为我们地球提供热能，使地球的温度维持现在这个适应生命生存的状态，地球上才有了生命；阳光使得地球的植物可以进行光合作用，从而产生氧气，供动物们呼吸；如果没有太阳，地球上的生物就会全都消失。

"万物生长靠太阳"，我们都亲热地称呼太阳为"太阳公公"。你可能还知道：我们就生活在太阳系里。太阳是太阳系的中心天体。太阳系中的八大行星、小行星、流星、彗星、外海王星天体以及星际尘埃等，都围绕着太阳运行（公转）。

太阳是距离地球最近的恒星，相距大约1.5亿千米。太阳表面全是热气体（严格地说是等离子体），年龄约为46亿年。它有100多万个地球加起来那么大。

对了，你听说过"太阳风暴"这个词吗？"太阳风暴"是不是个相当帅气的词呢！听起来是不是很像动画片里人物放出的很厉害的招数？听好了——太阳风暴是一种很神奇的现象。正如它的名

字所透露出来的，这种现象发生在太阳上，它的本质是一种风暴，这是一种灾祸性的现象！

你可以想象一下，这就是太阳发出的龟派气功——"咻"地一下，一束束诡异的光波就朝外放射出去了。这个时候我们会得到一个好消息和一个坏消息！好消息是：我们敬爱的太阳公公是个老花眼的散射手，根本不会瞄准，被它随意发射出去的大部分光波是打不到地球上的。坏消息是：那几束碰巧打向地球的光波已经够令我们难受的了。

举个例子，那些不巧被太阳公公放射打中的地方会停电——这意味着你将完全打不开电视、电脑、手机。要是你的老爸正好用导航仪开车的话，那他估计是要迷路了！因为超级厉害的太阳风暴会把车上的导航仪也弄坏。而当你爸爸想打电话回家求助的时候，他会发现自己的手机也不能用了，即使还有电，但电话就是打不出去。

科学家们说，如果出现超级太阳风暴，可能导致全球范围停电，使十分之一的人造卫星瘫痪，还可能破坏飞机和船只的导航系统……后果非常可怕。太阳风暴就像地球上发生的地震灾害一样，不是我们人类可以控制和调节的。

既然太阳风暴这么可怕，我们能不能知道，什么时候会有太阳风暴发生，从而做好预防准备呢？呵呵呵，太阳风暴的预测比地震预测容易多了。科学家通过多年的观察研究发现，太阳活动是有规律可循的。太阳活动大概每隔11年就会进入一次高峰期，此时

91

小知识

历史上曾经发生过两次比较大的太阳风暴事件：

1859年发生了史称"卡林顿事件"的太阳风暴事件。这是一次规模最大的"超级太阳风暴"。在当时，太阳风暴对刚刚形成的电报网络造成了严重影响，甚至有电报员触电、电报纸燃烧。

1989年3月13日，太阳强磁暴曾使加拿大魁北克的电网受到严重冲击，全市供电系统瘫痪，600多万人度过了冬天里没有电的9个小时；不仅如此，强磁暴还烧毁了美国新泽西州的一座核电站的巨型变压器，大量输电线路、变压器、静止补偿器等电网设备跳闸或损坏。

太阳会向外抛出很多物质。上一次太阳活动高峰期是在2012—2013年，下一个太阳活动高峰期应该是2023—2024年。

那么，太阳风暴究竟是怎么发生的呢？

太阳并不像我们看到的那样温和，它是一个充满过热气体的狂暴原子核球。也就是说，太阳公公的身体就是一个巨大的核反应器，它的表面永远都是流动状态的——温度太高，所有物质在它怀里都是熔化状态。如果一个人跟它靠得很近，瞬间就会变成一团气。幸亏太阳离我们的距离刚刚好，我们地球才因而拥有四季，草木得以繁茂，动物得以繁衍。太阳风暴就是太阳公公发脾气了。太阳公公有一个规律，11年发一次脾气，爆发完之后，就归于平静。太阳公公对于它自己的脾气，也是没办法的一件事，因为它不是自己想发脾气的。太阳是液态的大团子，它像地球一样不停自转着。我们地球是一团实实在在的固体，自转的时候，是以南极—北极为轴心，全身一起运动，各个部位运动速度都是一样的。可太阳就不行了，它的肚子（赤道）转动的速度比它的北极和南极转动的速度快。

你可以想象一下，如果你抱着一根柱子转圈，肚子跑得快，头和脚跑得慢，哎哟，天呐，一会儿就成人肉麻花了！太阳是液体状态的，它不会扭成麻花，它会沸腾，就像水烧开了一样。它身体里面的那些磁力物质就像丢进开水中的面条一样，不停翻滚；当达到一个爆发点时，就像煮面条，水开后要是不及时降低温度，面条就会突然冒出锅子一样，大量电浆从太阳表面喷出，形成太阳耀斑。

太阳耀斑是一种最剧烈的太阳活动，其持续时间仅在几分钟到几十分钟之间，太阳的亮度迅速上升至极大，然后缓慢减弱，它就是太阳风暴的重要标志。从太阳深处所发出的巨大能量物质，在太阳表面形成涌浪日珥，我们在地球上可以看到它们在太阳表面形成清晰的黑点。这些黑点，我们称之为"太阳黑子"。太阳表面的黑子增多，就说明太阳活动加强了，产生太阳风暴的可能性也就提高了。太阳黑子从最多（或最少）的年份到下一次最多（或最少）的年份，大约相隔11年。天文学家们就是根据这个现象知道太阳的整个活动周期。天文学家把太阳黑子最多的年份称为"太阳活动峰年"，把太阳黑子最少的年份称为"太阳活动宁静年"。

对于太阳黑子数，人类已经有23个太阳活动周期的完整记录。人们规定以1755年极小年起算的活动周为第一周。第24个太阳活动周期起始于2008年12月，目前我们处在太阳活动第24周的高年阶段。太阳风暴的威力是非常巨大的，它是巨大能量物质的突然释放，也就是巨大爆炸，速度可以高达每秒2000多千米。

这个大爆炸远比我们地球上所有的核武器全部引爆还要剧烈。但是，地球一直就在太阳旁边，从地球诞生直到我们人类的出现和繁荣，千亿年来，为什么我们的地球一直好好地没有被太阳伤害呢？

呵呵呵，这是因为我们地球自带着两个超级防护罩。是的，这不是科学幻想，这是真实的存在！第一个超级防护罩是地球的磁场；第二个超级防护罩是地球的大气层。

94

地球的磁场会把来自太阳和宇宙的高能带电离子屏蔽掉，让它们沿着磁场往两极走，太阳风暴产生的影响就不会直接攻击地球的大气层。

地球的大气层不仅仅为地球上的生物提供了生长所必需的空气，使地球温度相对稳定，昼夜、四季之间变化都在适当的范围内，它还可以让地球免受太阳射线的强烈照射，把大部分吸收掉。

由于地球拥有磁场和大气层的双重保护，各种有害射线和高能辐射都被阻挡在地球的大气层以外。在科技并不发达的过去，我们人类并不太在意太阳风暴对地球的危害。如今，人类进入高科技发展的新时代，特别是人类自1957年开始逐步进行太空开发之后，太阳风暴的危害日渐凸显，因为太阳风暴主要对卫星、无线电通信和地面电力技术系统三大方面有巨大影响。

空间天气科学的发展已经成为国际科技活动的一个热点，很多国家已启动空间天气计划。我国有中国科学院国家天文台太阳活动预报中心。2010年8月4日，有一轮"太阳风暴"抵达地球。我们一天前就知道它要来了，所以有时间专程去捕捉那些带电粒子穿过大气层时产生的美丽极光。这是一次预报太阳天气的成功案例。

我们无法回避太阳风暴，以人类目前的科技也很难消除太阳风暴的影响。但我们可以通过太空天气预报提前准备，降低损失。目前最先进的美国太阳动力学观测卫星（SDO）可以提前3天预报太阳天气。

2015年12月31日，美国国家海洋和大气管理局（NOAA）预

95

报，一次大规模的太阳风暴将撞击地球，相应纬度的北极光会把2016年新年前夜变得绚丽夺目。

极光一般只有在两极地区才能看到。来自太阳风暴的高能带电粒子与地球磁场相互作用，从地球南北两极的高纬度地区闯入高层大气，导致大气中的分子或原子受到激发而电离发光，明亮时宛如光幕在夜空中舞动，蔚为壮观。

当然，太空活动预报并不只是为了看到美丽绚彩的极光，更重要的是：当我们太阳公公将要发脾气的时候，及时采取一些措施，减少危害。比如提前关掉变压器，用防护罩保护好运行中的卫星等。

亲子活动

在家里观察太阳黑子。

要特别注意，不能拿望远镜直接观测太阳！ 如果想要直接观测，必须使用专业的太阳滤光镜或者滤光膜，比如巴德膜。

需要准备的工具和环境：

望远镜一台，大白纸一张，遮光效果较好的房间。

观察方法：

在房间中，拉上窗帘，只留一个小口。

把望远镜的物镜对准太阳，在目镜张开白纸。

这时你可以在白纸上看到太阳的投影。想把投影的太阳像变大点，只要投影的距离拉长就行，即让投影的纸离目镜远一点。离得越远，投影的像亮度就会越暗，利于观测。认真观察太阳在白纸上的投影，黑斑的地方就是太阳黑子。

8 照亮黑暗的小精灵

刘颂豪

中国科学院院士。

我国著名的从事光学、激光方面研究的科学家，是国家首批博士生导师。

20世纪80年代初创建我国第一个激光光谱学开放实验室，并任首位开放实验室主任；他的研究取得了多项具有国际水平的科研成果，获国家、中国科学院和军队科技进步奖；是中国光学学会常务理事、美国光学学会资深会员。

现任华南师范大学信息光电子科技学院教授，华南先进光电子研究院名誉院长，药物研究院名誉院长。

刘爷爷，LED灯是您发明的？！爷爷太神了！

哈哈哈，我当然不是神。我只是一个研究光学与激光的科学家。LED灯这个照亮人间黑暗的小精灵也不是我发明的，它是大批科学家共同研究的成果。

你要找个伸手不见五指的地方？这很简单，钻进被子里就啥都看不见了。但是，你要在被子外面找到一个伸手不见五指的地方，真的很难。电灯把夜点亮——不论是乡村小镇，还是城市街道，处处都有五彩霓虹，昼夜通明。自从人类发明了电，光明小精灵就常驻人间了。

99

我们人类创造出来的第一盏"灯"，应该是个大火堆。远古时代，每当夜晚降临，穴居的人们围着篝火取暖，烧烤食物。同时，火光为人们驱走了黑暗，为夜晚带来了光明。

后来人类发明了通过燃烧动物油、植物油而获得光亮的工具——油灯。人类使用油灯照明的历史特别长。油灯用油从动物油改为植物油，最后又变成煤油。灯芯也经历了草、棉线、多股棉线的发展过程。为了防止风把火吹灭，人们给油灯加上了玻璃罩。这种油灯有个很好玩的名字：气死风。顾名思义，风被挡在玻璃之外，吹不进去，当然气死啦。这样的油灯在户外也可以照常使用，而且燃烧充分，不冒黑烟。

公元前3世纪左右，有人用蜂蜡做成了蜡烛。到了18世纪，出现了用石蜡制作的蜡烛，并且开始用机器大量生产。

大约在1784年才有了煤气灯，是英国人发明的，这使人类的照明方法向前迈进了一大步。

篝火、油灯、煤油灯、蜡烛、煤气灯这些照明工具，都没有离开火，都是靠物质燃烧发出的光来照明的。

1879年，一位美国发明家，终于点亮了世界上第一个现代电灯泡。这种灯亮度强、发光时间长，从此，人们开始在家中拥有了白昼一样的明亮夜晚。这位发明家就是被后人赞誉为"发明大王"的爱迪生。

爱迪生在碳丝白炽灯的基础上试验了1600多种材料，都没有找到合适的电灯灯丝。有人嘲笑他说："爱迪生先生，你已经失败了1600多次了。"爱迪生回答说："不，我没有失败，我的成功就是发现1600多种材料不适合做电灯的灯丝。"

为了找到适合做灯丝的材料，爱迪生甚至连马的鬃、人的头发和胡子都拿来当灯丝试验。在对6000多种材料进行7000多次试验之后，终于发现日本竹子所制碳丝最为实用。通上电后，这种

竹丝灯泡竟连续不断地亮了1200个小时！从此，电灯这个光明小精灵进入了千家万户。

直到1906年，在竹丝灯用了好多年后，爱迪生又改用钨丝来做灯，使灯泡的质量又得到提高，一直沿用到今天。

1979年，美国花费了几百万美元，举行长达一年之久的纪念活动，来纪念爱迪生发明电灯一百周年。

虽然爱迪生发明的电灯泡比起之前已经有了很大的进步，但灯泡点亮后会热得发烫，对不对？当时，人类还没有找到其他照明方法，而有一种方法，萤火虫已经用了很多年。你知道"囊萤夜读"的故事吗？在晋代的时候，有个叫车胤的小伙子，家里很穷，没钱买油点灯。晚上想学习，没有光怎么办呢？他就跑出去抓了好些萤火虫，用白纱布包着吊起来，虽然不怎么明亮，但可勉强用来看书。从此，只要有萤火虫，他就去抓一把来当作灯用。

101

萤火虫发出的荧光虽亮但没有热量，也不产生磁场，是最完美的冷光源！萤火虫发光效率非常高，几乎能将化学能全部转化为可见光，是我们人类电灯光源效率的几倍到几十倍。

1938年，美国通用电子公司的伊曼发

明了节电的荧光灯（日光灯），这才有点接近小小萤火虫。这个荧光灯是一根玻璃管，管内充进一定量的水银（汞），管的内壁有荧光粉，在灯管的两端各有一个灯丝做电极。

荧光灯被发明出来之后，城市的黑夜被装扮得五光十色，异彩缤纷。霓虹灯是高压荧光灯，日光灯是低压荧光灯。

但是，萤火虫对地球人说：你们人类的冷光灯有毒！是的，灯管中的汞对地球环境的污染影响很大，所以人类继续寻求着新的照明设备。

20世纪40—60年代，科学家发现提高气体放电的工作压力，灯

102

小知识

　　紫外线灯的工作原理和荧光灯是一样的。紫外线很厉害，怕晒黑的女孩们，你们就是被太阳中的紫外线晒黑的。紫外线可以杀死细胞！所以，人类发明紫外线灯，用来在医院、饭店里杀菌消毒。

　　紫外线还有个好玩的作用——验钞。我们用的人民币不是有水印吗？用肉眼是看不到的，紫外线能使做水印的荧光物质发光，所以，把纸币往紫外线灯下一放，水印就出来了！

　　（注意：过量的紫外线照射对人体十分有害，轻则使皮肤粗糙，重则引起皮肤癌。太阳太猛烈的时候，要戴帽子，擦防晒霜哦！）

的发光能力更强。科学家推出了高压汞灯、高压钠灯、金属卤化物灯等高强度气体放电灯。我们一般家庭是不会用到这些灯的，因为它们的亮度太高，如果用在家里可能会损伤视力！它们被用在马路边、体育场、施工工地、工厂大车间等地方。这些灯也用了汞、金属钠等，同样会危害环境。

下面给大家介绍一个新的光明小精灵！——LED发光二极管，它是一块很小的晶片被封装在环氧树脂里面，所以非常小，非常轻。20世纪60年代，科学家开发出这种更先进的照明光。

2008年，北京奥运会成功应用LED半导体照明，可以说是LED技术的运用造就了这场美轮美奂的视听盛宴。还记得开幕式一开场引起全场欢呼的击缶歌吗？那2008个缶均采用LED光源点缀，感应发光，使用的LED灯数量近3万颗。开幕式上冉冉升起的奥运梦幻五环也是采用了近5万颗LED灯。开幕式中放飞和平鸽的节目，表演者身上也使用了LED光源，上千人的表演队伍使用的LED灯有3万多颗。正是因为有了这些LED产品和技术的支持，北京奥运会才大放异彩。

你知道吗？国家游泳馆"水立方"也是采用LED作为照明光源，并且是在景观照明上唯一全部采用LED照明的奥运场馆。北京奥运会期间，水立方正面有"北京欢迎您"的字样，屏长104米，高20米，主体面积达2080平方米，总共用了700万颗LED灯。

照明精灵LED的光亮比萤火虫更美，可以组合出无数种不同颜色，而且也是绝对的冷光源哦。

LED照明有很多优点：

优点一：灯泡内不需要灯丝，不需要电极，也没有玻璃泡，所以它不怕震动，不容易破碎。

优点二：生命超长，灯泡可以使用60 000小时以上，也就是说它可以连续发光7年多。因为可以长时间保持明亮，用上它之后，可以不用维护、不用更换。

优点三：发光效率非常高。5瓦的LED灯可以取代100瓦白炽灯！——我们家庭一般用30瓦的白炽灯就已经够亮了。如果用LED灯，只需要5瓦！是不是非常省电呢？

因为LED灯只需要一点点电就能很光亮，而且它用低压直流供电就可以发光，用电池供电也可以发光，因此我们边远山区以及野外的照明问题就很容易解决了。

此外，有太阳照到的地方，LED灯就能大放光明。一块太阳能板、一个小蓄电池、一个LED灯就是一个绝佳的照明组合——事实上，新建的公路照明设备都已经用上了这个组合。

优点四：不伤视力。普通灯是交流驱动的，因此必然产生频闪；LED灯是直流驱动，频闪比较少。你们应该注意不到这个现象：教室里的日光灯，每一秒里面会明暗变化100多次，这个就是日光灯的频闪现象。你们注意不到，是因为它闪得太快，人的肉眼根本感觉不到。但是，频闪对人类的视力会有一些影响。

优点五：比较安全。LED灯所需电压、电流比较小，发热也很少，用在矿井等危险场所，能避免产生安全隐患。煤矿、铁矿等很多矿石都是埋在地下的，矿业工人们在黑暗的矿井里去进行挖矿作业，必然要用灯光照明。你知道吗？矿坑里有时会集聚一些容易燃烧、甚至是爆炸的气体（例如瓦斯），稍微有些火花或是环境温度过高，就会发生爆炸。所以，安全一直是采矿业最重要的问题，虽然现代采矿业已经比几十年前更为安全，但也经常发生事故。使用LED灯照明，比用会发热的灯泡要安全得多。

优点六：绿色环保。LED灯里面可没有像汞和氙等对人体有害的元素，没有水银灯中含有的汞和铅，也不像节能灯中的电子镇流器会产生电磁干扰，所以LED灯非常环保。

自从照明精灵LED降临地球村后，许多国家的工厂车间、学校教室、图书馆、温室蔬菜植物棚、礼堂大厅、会议室、大型商场天花板、运动场、隧道、交通复杂地带的指示灯、地铁站、火车站等地方的照明工作全被它承包了。

105

　　一些不方便经常更换灯泡的地方，特别需要LED灯来帮忙。当夜晚降临，你走在都市的夜色中，街道被彩色灯光装点得非常美丽，LED灯随处可见。在万家灯火中，闪亮的LED灯也在逐渐增多，又好又便宜的LED灯正在走进我们的生活。不久，也许就是明天，你家就会住进这个照明小精灵。

异想天开

如果你认为LED灯只是可以给你家照明，那你实在是太小看LED灯这个精灵了。

LED灯的出现，为我们人类开启了"智能照明"的大门。

科学家们正在研究开发第二代的LED灯具，新的LED智能灯具可以无线接入互联网系统，它可以通过各种感应器，在光线照到的范围内收集其他设备、环境以及用户的行为等所有数据。人们可以利用这些数据，为用户提供服务。

思考下面的问题，让我们看看你的想象力有多丰富：

1．未来的LED会取代Wi-Fi，你觉得它会比现在的Wi-Fi有哪些更好的地方？

2．你回到家中，最想让灯光为你做什么？

3．智能灯光可以帮助家人照顾老人，你觉得它是怎么做的？

4．智能灯光可以成为你家的安全门锁吗？

LED灯有很多很多未知的可能，科学家们正在研究，你以后也可以帮忙开发。等着你哦！

亲子活动

制作LED红绿灯模型

准备材料：电池、电池盒、木方、雪糕棍、LED三色小灯泡、导线、双面胶。

1. 用双面胶将电池盒粘到木方的一面，将雪糕棍垂直粘到木方另一面。

2. 在雪糕棍上扎三组小孔，将LED三色小灯泡的正负极线穿过小孔。

3. 用导线将小灯泡的负极线连接在一起并与电池盒的负极线相连接。

4. 在电池盒的正极线上安装线夹子，线夹子夹在哪个小灯泡正极线上，哪个小灯泡就能被点亮。

9

现代人类的超级助手

李楠

　　国防科学技术大学计算机学院教授、副院长，天河二号工程副总指挥，天河超级计算机系统新闻发言人，专职从事银河天河超级计算及系统研制和推广应用。

　　在超级计算机体系结构、网络通信、系统软件、应用软件等领域取得了一系列重要成果，荣获国家科技进步奖、部委级科技进步奖。

　　先后参与"银河三号""银河四号""银河五号""银河六号""银河七号"以及"天河一号""天河二号"超级计算机系统研制工作，是广州超级计算中心领导小组办公室核心成员。

李爷爷，研究计算机的人是不是都得特别特别厉害啊？您一定特别聪明吧！是不是一分钟能做几十道数学题呀！

哈哈哈，你说的这个怎么像是科幻电影情节啊。我不行的，恐怕世界上没有任何一个人类能在那么短的时间内算那么多道题吧！

啊……连计算机专家都不行吗？

哎呀，你别失落呀！虽然我们人类不行，但也并不说明我们不聪明呀！我们不是发明了电脑来替我们做这些运算吗？特别是我们最强大的超级电脑！别说是几十道题了，几万道数学题也能在一分钟内算出来！它可是我们人类智慧的结晶——现代人类的超级助手呢！

自从电子计算机（就是我们熟悉的电脑啦）被发明出来之后，人类的生活被不断改变。伴随着信息技术的不断进步，电子计算机在我们的生活中扮演越来越重要的角色，成了我们不能缺少的伙伴。它可以帮助人类获取食物，不用我们亲自动手。它可以帮我们看家护院，比任何其他护卫都可靠。最重要的是，它极大地丰富了我们的娱乐生活——以一种旧时代的人们完全想象不到的方式。

我相信你们都特别喜欢电脑。上网查资料、跟同学网上聊天之类的就不说了，世界上还有数万家游戏公司在不断地发明电脑游戏、iPad游戏、手机游戏来丰富人们的娱乐生活。

电脑真是个好东西，不是吗？

不过今天我要给你们讲的，并不是上面这些我们日常生活中接触的电脑。这些电脑一般指的是"家用电脑"，而这篇文章中要给你讲的是"超级电脑"。

什么是"超级电脑"呢？超级电脑就是超级计算机——一台价值几十亿元的大电脑！

小知识

超级计算机：超级计算机说白了就是极其庞大的电脑，一般都有几间屋子那么大，这么大的电脑当然没办法方便地给普通人使用。但你也千万不要小看它，它能够在极短的时间内处理一般电脑很长时间都难以处理的数据和资料。它所运算的程序，比你手边的电脑、手机上的程序要复杂得多了！

你可能会问了，为什么我们要花那么多钱制造一台电脑呢？

1976年，美国人制造出了人类历史上第一台超级计算机，这台大家伙跟当时别的电脑比起来简直傲视群雄，在很多方面大展身手，让美国人扬眉吐气！

2011年，日本科学家成功地开发出一台叫作"京"的超级计算机，成为世界第一的超级计算机。靠着"京"，日本确立了自己的科技强国之位。

在2012年6月，美国劳伦斯·利弗莫尔国家实验室研发的Sequoia超级计算机为美国重新夺回了世界第一。

接下来为我们的国家自豪一下！

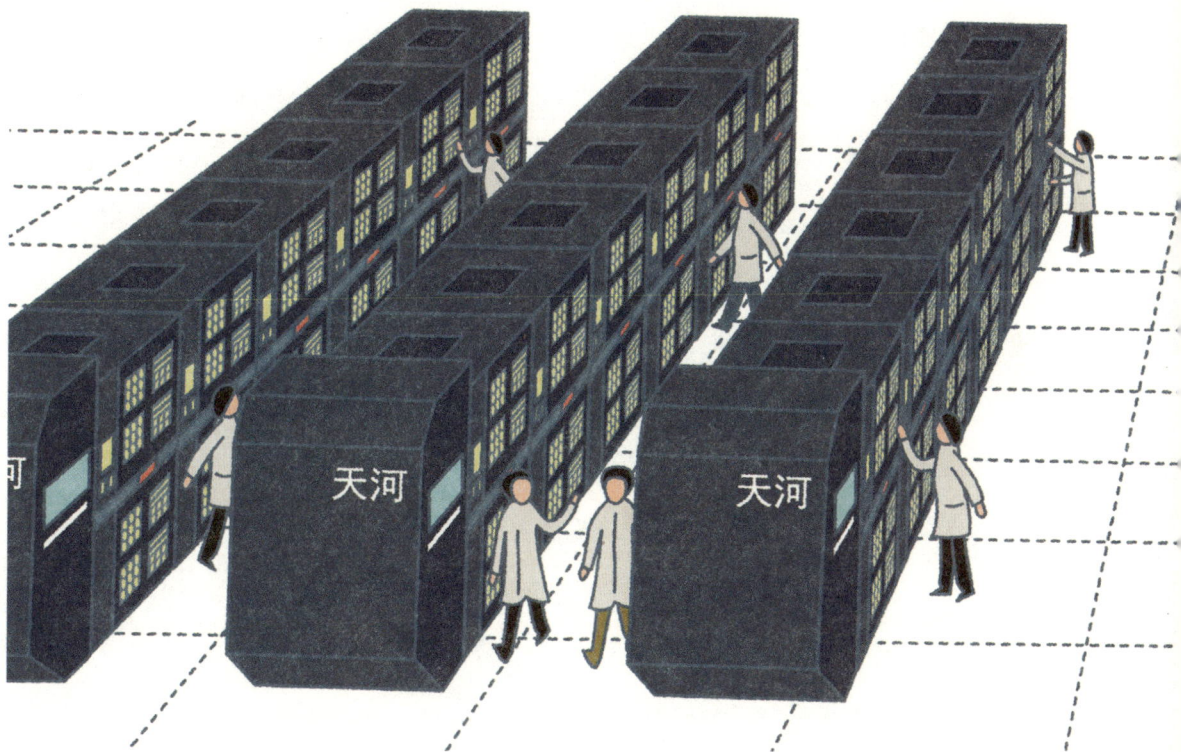

自从2013年6月以来，"世界第一超级计算机"的名号就一直被我们中国的超级计算机占领着，"天河二号"与"天河一号"两台超级计算机轮流占领着世界第一的地位。

厉害吧！单纯地追求超级计算机Top排行榜位置的阶段已成过去，让应用引领计算的时代已经来临。以前超级计算机的排名完全是根据这些大电脑计算的速度来决定的。但是算得快，并不意味着

更有用！也就是说，有些时候，排名靠后的超级计算机反而发挥着比较重要的作用。

无论怎么说，在今天，实用性才是我们衡量超级计算机性能最重要的指标。那么，到底这些庞大的计算机有什么作用呢？超级计算机看似远离我们，其实，它在科学、工业和我们的日常生活中都发挥着特别重要的作用，它和我们的日常生活也是紧密相连，只是你不知道而已。

说个大家都熟悉的东西吧——天气预报。

你知道一份准确的天气预报是怎样得出来的吗？

举个例子：大家都知道云多的地方总是经常下雨，而万里无云的地方肯定是不会下雨的。可是云是会飘走的，那么，我们怎样才能知道几个小时、甚至是几天后，哪个地方会是乌云密布，哪个地方会是万里无云呢？

我们的办法就是记录每一片云的位置和走向，记录每一阵风的强弱和方向，记录每一个地方气温的高低和变化，然后再根据这些数据推算出未来哪里会更有可能下雨。

如此高难度的图根本不可能依靠人工来绘制，图中的任何一项指数都不是人类的大脑能运算的。事实上，即使是家用电脑也没办法在短时间内完成这么大量的运算，如果靠一台家用电脑来做天气预报，我们大概要一个星期后才能看到今天天气的"预报"了。

114

但如果是超级计算机就不一样了。即使是非常一般的超级计算机，每秒所能做的计算也在一万亿次以上！也只有能力这么强大的超级计算机才能负荷天气预报所需要的一系列计算。

根据实验数据，我们中国自主研发的"天河二号"超级计算机最快可以在15秒内完成对过去一周内的所有国内天气数据的统计，并且给出对接下来一周内每一小时天气情况的预测。

一般情况下，我们国家的气象局都会收集多台超级计算机预测的结果，综合考虑后再发布天气预报。

现在我们每天每时每刻都能从电视、电脑、手机上看到天气预报，这背后的大功臣就是超级计算机哦！

什么？我好像听到有人说，他很少很少看天气预报？呃……这可不是一个好习惯……但是没有关系，我还有的是办法让你感受超级计算机的威力呢！

十多年前，中国有一部家喻户晓的动画片——《阿凡提的故事》，如果你不知道，就去问一问爸爸妈妈吧。这部动画片里每一个场景的背景都是一张画，阿凡提和小毛驴是木偶；而其他的部分都是用橡皮泥、木棍、纸张等材料制作的模型。那个年代的动画制作者们，就是用这样的手艺，一点点拍出《阿凡提的故事》的。每换一个场景，人物们每换一个姿势表情，画面里的道具就要重新制作一次。制作一集不到10分钟的动画，工作人员要捏制1000个以上的场景，在每个场景里都要配上背景，把阿凡提摆出合适的姿势，然后一个画面一个画面地拍照片。最后再把照片剪辑成动画。

这样复杂的过程一般要持续大半个月，才能得到10分钟精彩有趣的内容。当年制作动画片的叔叔阿姨们是怀着多么大的热情与毅力才制作出《阿凡提的故事》啊！而且一做就是13集。

他们的劳动肯定是非常辛苦和烦琐。

虽说要花上一年多的时间，但《阿凡提的故事》这种规模的制作还是人力可以实现的。那么如果是一部3D电影《阿凡达》呢？有飞机、有龙、有色彩细腻的背景、还有表情丰富的蓝皮人，这怎么可能靠手工制作出模型呢？

你知道的，一部《阿凡达》长达162分钟，比13集《阿凡提的故事》加起来还多。而且画面的流畅度和细腻度也远超十几年前的《阿凡提的故事》，这样一部3D电影至少也有五百万帧，也就是五百万个画面，这怎么可能用模型来拍摄呢？那还不得拍几百年啊！

不过话说回来，这五百万个画面，还真就是用模型一个一个做出来的！但是，当然不是橡皮泥捏的模型啦，实际上，这部电影里用的模型是电子模型。哈哈，我想你一定猜得到。

说了这么久，我们的主角——超级计算机终于要登场了！

没错，对于我们的超级计算机而言，制作一个电子模型的时间远比做一个同精度的实体模型要快得多。只要操作超级计算机，模型制作者足够熟练，两个小时就能制作出一个以假乱真的电子模型。

什么？你觉得两个小时还是太慢了？别急嘛，超级计算机的功能可远在不止这些呢。

很多时候，动画电影的制作人都会用真正的景物照片来制作背景。程序员们拿到照片以后，会通过一种叫作"渲染"的手段让照片和动画场景显得真实自然。这个步骤用超级计算机来做是相当

117

快的，大大缩短了制作时间。

而且，超级计算机还有一个绝招——"模拟"。这个绝招可了不得。比如说，设计师们只需要制作一个人形电子模型，然后由真人演员表演出动画人物需要的动作，把动作拍成视频输入超级计算机，就可以让人形电子模型做出真人的动作。

不但如此，如果在动画里，人物的两个动作之间相隔的时间很短，超级计算机甚至不需要真人演员拍摄的视频，可以根据首尾两个画面的不同特征模拟出中间发生的过程。

有了这个超级计算机的绝招，制作一部动画电影的时间从遥遥无期的几百年，变成可以接受的一两年。不过，这仍然是一个非常漫长的过程啊！这也是为什么我们应该怀着尊重而感恩的心态来看这些电影——这都是电影制作者们大量的心血，我们理所应当要尊重他们。

异想天开

也许在我们时代看起来这么厉害的超级计算机，以后连普通的家用电脑也比不过。

也许以后的科学家们，能制作出手机大小的"天河二号"。

也许以后人们能发明新的能源，制作出能广泛使用的超级计算机。

无论如何，可以肯定的是：以后的每个年代，都会有每个年代的超级计算机。这些超级计算机能超越那个时代的一切家用电脑，而且势必会在越来越多的领域里发挥越来越重要的作用。

我们也许不用再工作，因为超级计算机能自动完成所有工作。

我们也许不再需要到学校上学，因为超级计算机会成为最好的"老师"，把知识灌输给我们。

我们也许什么都不用干，因为超级计算机已经强大到能预测每一个人的所作所为，并提前为我们做好（它们甚至能维修和升级自己）。繁衍后代成为人类唯一的用处。

你觉得这样的未来，是轻松有趣，还是恐怖可怕呢？让我们拭目以待吧！不过现在，你离那样的时代还有很大距离，乖乖去上学吧！

119

亲子活动

你最喜欢的动画电影是哪一部？你知道它是怎么制作出来的吗？超级计算机在它的制作过程中扮演了什么角色呢？通过搜索资料，尝试了解一下超级计算机在你喜欢的动画电影制作过程中发挥了什么作用，并向爸爸妈妈介绍一下吧！

10

小生物，大作为

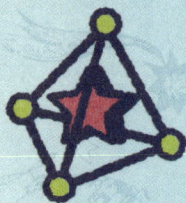

张偲

中国工程院院士。

我国杰出的海洋生态工程专家。

我国第一个海洋微生物"973计划""海洋微生物次生代谢的生理生态效应及其生物合成机制"的首席科学家和热带海洋生态工程的学术带头人。为发展我国海洋战略性新兴产业与海洋生态文明事业做出了杰出贡献。

现任中国科学院南海海洋研究所所长、中国海洋学会常务理事、中国海洋与湖沼学会常务理事、中国海洋学会热带海洋分会主任委员、广东海洋学会理事长。

张院士，您认为地球的霸主是谁？是人类吗？

真正掌握着地球生杀大权的霸主可轮不到我们人类来当呢。

我不信！我们人类是最聪明的生物，统治了地球那么长的时间，怎么可能有比我们还厉害的生物呢？

我告诉你吧，其实微生物才是地球上最重要的生物呢！它们是地球上出现的第一种生命。虽然也许它们单体的智慧没法和我们人类相提并论，可是它们对地球演化的贡献可比我们人类大得多了。它们是名副其实的小·生物，大作为啊！

世界上数量最多的生物是什么？是人类吗？区区72亿多人根本算不上！那是蚊虫吗？的确比人类多了很多倍，可惜也不对！好啦好啦，现在揭晓答案，世界上数量最多的生物是：微生物！

顾名思义，微生物就是非常"微"的生物。我们把小到用肉眼都看不到，只能借助显微镜才能看清楚的微小生物叫作微生物。所谓"每一颗螺丝钉都有它的用处"，一只蚊子虽然体积微小，但它的身上能存在千亿只微生物。

微生物的作用很大。制作面包所需要的酵母菌就是微生物；酿造酱油所需要的酱油曲菌也是微生物；你的感冒发烧老是不好，那是有些微生物——流感病毒没驱除干净呢！甚至是"白毛浮绿水"中的绿水，也是因为微生物——蓝藻而形成的，此外还有很多很多……

可以说，微生物才是地球的霸主。在地球上，植物是生产者——它们利用阳光、空气、地下水等材料制造出淀粉、脂肪、蛋白质等物质；动物是消费者——专门消耗这些物质。而微生物呢？它们就是掌管动植物生杀大权的霸主。它们决定了生产者和消费者能不能健康地生长。在生物死后，微生物可以把它们分解成各种对自然有用的元素。要不是有微生物的存在，整个生物圈根本运作不起来。最重要的是，它影响着每种动植物能分配到多少营养和资源，真是当之无愧的霸主啊！

首先，我们来讲讲微生物中的一个小群体——热带海洋微生物。在进入正题之前，首先你要知道，热带海洋就是赤道两侧的海洋，它就像腰带一样环绕着地球。在咱们中国，紧邻着我们的印度洋、西太平洋和南海都有一部分是热带海洋。这几个地方可是地球上生物种类最多的地方！在中国南海，因为有温暖的海水，所以生长出很多美丽的珊瑚礁（珊瑚菌也是微生物哦）。

小知识

微食物环：微食物环是指海水中的溶解有机碳通过细菌二次生产后形成的异养细菌，细菌被原生动物（鞭毛虫、纤毛虫）摄食，原生动物被浮游动物摄食，所有这些生物又产生溶解有机碳，碳在这个环形的回路中循环利用。在微食物环中，异养细菌在有机碳的转换过程中起关键作用，同时也说明异养细菌不仅是分解者，也是"生产者"。

40多年前，科学家开始决定要研究这些微生物。当时的科学家提出一个理论：微食物环。这个理论让科学家们意识到了海洋微生物的重要性。海洋微生物可以住在海底淤泥里，可以漂浮在海水中，还可以附着在海生动物身上。

伟大的微生物促进了物质循环，海底漂亮的石头和实用的石油，都是它的杰作；它们的巨大分解潜能可以净化各种类型的污染物；它们还可以提供新的抗生素以及其他生物资源。随着研究技术的进步，海洋微生物日益受到重视。如今，我们中国的科学家正在努力研究海洋微生物和其他海洋生物之间的关联，以及它们之间相互的作用。为了达成这个目的，我们在不同的地点建了观测站，有三亚站、细纱站、大亚湾站等。我们用了许多先进的仪器来进行研究。这么多年下来，科学家们成功地找到了不少挑选、保存微生物的好方法。再过一段时间，我们就能自己培养这些厉害的小生命了。

为什么要进行这些研究呢？为了解释清楚海洋微生物的功能有多强大，我来讲几个例子。

微生物与海洋卫士

在地球海洋的边缘，生长着一些神奇的树，树的一部分长在海水里，一部分露在水面上。水下的部分成了各种海洋生物的栖息地，虾米和小鱼都喜欢在这里安家。这种树除了长得漂亮以外，还可以在海啸、台风的时候保护海岸免受侵害。这就是"海岸卫士"——红树林。

2004年12月26日，印度洋发生了一场大海啸。恐怖的海啸袭击了12个国家和地区，有数十万人伤亡。但神奇的是，在印度一个离海岸特别近的小渔村，172户家庭幸运地躲过了海啸的袭击。原因就是这里的海岸上生长着一片茂密的红树林。红树林成了大英雄！它们对狂风巨浪的抵御能力比任何人类工事都要强。数百万年来，这些英雄扎根于高盐、贫瘠的土壤，持续地与恶劣环境做斗争。

可是，红树林抵御得了海啸，却抵御不了疯狂的工业——石油泄漏、土地开发、虾塘养殖严重破坏了红树林的生存环境。人类并没有善待这些英雄，如今红树林已经成为世界上最容易受到破坏的栖息环境之一。中国的红树林由于围海造地、围海养殖、无节制的砍伐等原因，面积在四十年间减少了三分之二。

为了挽救人类的生态朋友，我们做了不少努力。国家建立了多个保护区，同时积极加强红树林的培养与种植。种植红树并不难，第一是温度合适，第二是需要氮和磷这些营养物质。我国南部海岸的气温适合红树生长，氮、磷等营养物质也充足，但是这些营养物质并不能很好地被红树吸收。

故事说到这里，红树林的救世主——热带海洋微生物终于要

固氮菌

登场了。在热带海洋微生物中有一种叫作固氮菌的细菌。它们最大的作用就是帮助红树林吸收营养物质。科学家们收集固氮菌来培育红树幼苗。固氮菌能够促进红树林幼苗生长，可以拯救我们的大英雄。

微生物与珊瑚礁

绚丽多彩的珊瑚是绽放在海底的花朵，它们随着海水漂动，风情万种。各种生物生活在珊瑚礁周围，它们共同组成了一个完美的海底生态系统。除了海洋生物，很多人也是依赖珊瑚礁的产物生活着。珊瑚礁关系着整个海洋生态的安全，在这个生态系统中，也少不了海洋微生物的身影。珊瑚虫的体内都有共生的微生物——藻类，这些藻类给了珊瑚礁缤纷的色彩，并且生产出糖类养分，分泌碳酸钙，促进珊瑚礁的生长。

近年来，珊瑚生态系统也和红树林生态系统一样，在悄悄改变：原本五彩斑斓的大片珊瑚林变成灰白色的"断骨"。珊瑚礁为什么会变白呢？这是因为缺少了藻类。颜色不再鲜艳倒也没什么，问题是没有了藻类，珊瑚虫就没有了养料来源，很快，珊瑚虫就会死去。

128

海洋里一半以上的生物都要依靠珊瑚礁生存，对于生活在海边的人们来说，珊瑚礁一旦被破坏，对于他们的打击可是毁灭性的。目前，全世界有20%的珊瑚礁已经消失。可以想象，如果失去了伟大的海洋微生物，我们的生活要受多大的影响啊。

在中国，珊瑚礁主要分布在台湾、海南岛和南海，其中南海最多。可是在各种原因的破坏下，藻类无法健康生长，中国沿海的珊瑚礁已严重退化。

珊瑚礁危机已经引起全球科学家的重视。

我国的海洋科学家们正在积极想办法挽救珊瑚礁。要修复珊瑚礁，最重要的就是从海洋微生物下手。我们在南海的赵述岛建立了珊瑚礁保护修复重点示范区。科学家们把固氮菌和珊瑚礁一起培养，使珊瑚得到很好的发育，珊瑚生态系统也就越来越有生机。

此外，微生物还可以用于生物发电。

在2013年，科学家已经发现，一些细菌表面的蛋白质会散发出能量，这些能量可以转化为电能供人类使用。这项重大突破将会使得我们人类使用的电能更加清洁。

在宇宙飞船中，科学家已经在用一种叫作"芽孢杆菌"的微生物来处理宇航员的排泄物，产生氨气。再把氨气作为电极活性物质，在铂电极发生电极反应，制成了生物电池。生物电池将生物的能量直接转化为电能。这主要是因为生物体内发生了复杂的化学反应。这些反应过程彼此影响，互相依存，提供生物生长的能量。

科学家们还发现，微生物在垃圾处理中也能够起到很好的作用。因为垃圾处理有一种很简单的方式就是焚烧，焚烧时的温度很高。有一些微生物是嗜热微生物。我们发现在深海的热焰口有非常丰富的生物，比如贝壳类、菌植等，这些生物能够活得很好，肯定有非常适合高温的酶系统，假如我们能够将这些在一两百度的环境中能够分解的酶应用到垃圾处理，就能起到非常好的节能作用。

微生物的世界是一个真正广阔的天地，我们现在对它们的认识还是非常有限的，无穷无尽的微生物正等着你去探索呢！

异想天开

未来，我们可以筛选出最适合提供生物电能的微生物，开发出适合海岸湿地或者海洋环境的生物发电装置，将环境污染物和二氧化碳转变成可以利用的能源。

未来，我们的微生物电池可以做得非常非常小，例如，我们可以做成体积很小的微生物电池来驱动微型血糖仪器，安植在糖尿病人的血管壁上，随时监测血液中的各项物质的变化。

现在，美国宾夕法尼亚州立大学研究出一种新型的微生物燃料电池，可以将污水转化为干净用水和电源，但是目前发出的电力只能驱动一台风扇。可这是多么让人兴奋的成绩啊！这个技术进一步发展，是不是很快就能有驱动汽车的微生物燃料电池呢？

131

亲子活动

面包借助酵母菌发酵，酸奶含有乳酸菌，酿醋需要醋酸菌……微生物在日常生活中发挥着重要的作用，去了解一下家里有多少种物品的形成过程中有微生物参与，并记录下来，和爸爸妈妈分享吧！

祖先留给中国人的医学宝库

刘良

澳门科技大学教授，校长。

国内外知名的中医风湿免疫研究专家。从事中医治疗风湿病的临床和基础研究，以及中药抗炎免疫药理、抗关节炎及抗癌创新药物、中医质量控制技术与方法等研究。已在国内外学术期刊和会议发表研究论文或报告450多篇。

从1997年到2000年担任广州中医药大学副校长，现任澳门科技大学校长、中药质量研究国家重点实验室主任。

我最不喜欢吃中药了，好苦啊！

其实现在的很多中药做得和西药一样，包着糖衣，或是制成糖浆，吃起来也不会很困难。

真的吗？

当然是真的。再说，我们的中医药可是我们的老神仙留给中国人的医学宝库，有好几千年的历史。我现在也还一直在研究、挖掘这个医药宝库，利用现在新的科学技术，更好地开发，比如治疗抗关节炎及抗癌的新药物。

要了解中国传统中医药，你必须先知道一个传说。

在很久很久以前，烈山的一个石洞里有一个小孩出生了。这个孩子异于常人，身体是透明的，五脏六腑清晰可见，头上还长有两只角，牛头人身。

怪物啊！如果他出生在现代，肯定吓懵好多人。

135

但是，那时候的人们不一样，他们一看，立马惊呼："哇哦！这真是个异于凡人的小家伙，一定是天上神仙下凡啦！"

这个小孩长大后成了部落首领——他就是大名鼎鼎的炎帝。

那时候的人靠捋草籽、采野果、猎鸟兽维持生活。五谷和杂草长在一起，药物和百花开在一块儿，哪些是可以吃的食物？哪些是治病的草药？谁也分不清楚。炎帝决心尝百草，定药性，为大家消灾祛病。他尝出了麦、稻、谷子、高粱能充饥，于是让人们种植，这就是后来的五谷。他还尝出了三百六十五种草药，为人们治病。

当然，神农尝百草的故事只是个传说。在我们的历史上，一般认为《黄帝内经》《难经》《伤寒杂病论》《神农本草经》是中

小知识

《神农本草经》，又称《本草经》或《本经》，是中医药四大经典著作之一。是现存最早的中药学著作，约起源于神农氏，代代口耳相传，于距今两千多年前的东汉时期整理成书。作者并不是一个人，是前期很多很多医学家搜集、总结、整理的药物学专著，是对中医药的第一次大总结。《神农本草经》全书分三卷，载药365种。

136

医四大经典（也有部分中医教材把《黄帝内经》《伤寒论》《金匮要略》《温病条辨》当作四大经典），是这些千年传下来的经典记载使得我们的中医药从几千年传承到今天，而且现在越来越多的人喜欢用中药治病。

但是，有的小朋友会说，如果感冒发烧咳嗽，爸爸妈妈肯定会带去医院看西医，拿回一些药片药水，喝下去，马上就会退烧，咳嗽也会很快没了。如果是看传统的中医会怎么样呢？中医会说："病来如山倒，病去如抽丝，不能急啊。"然后，开一堆干叶子、草梗、种子等草药，回到家，煮成一碗黑黑的苦水，每天两碗！——好苦啊！太折磨人啦！

我们是不是因为中医难喝就认为中医不如西医好呢？我们可不能这样比较。它们有不同的医学理论和临床诊疗方法，最终目的

都是防病救人，同时中医又可养生保健。

中医与西医治疗病人的方法不同。

西医治病，就像把一棵生病的树放到植物学家的面前，他们会把叶子、果实、树枝、树干、树根分成不同的科，又在每个科里用各种现代医疗设备查找异常的地方，再想方法找出可以治疗的药物和方案。这种方法能够比较快地解决病人的病痛，但是有些时候也会产生一些副作用！比如说，西医的癌症治疗法——化疗。

化疗是目前治疗癌症的主要手段之一。然而，化疗是把双刃剑，许多癌症患者和家属一谈起化疗就紧张害怕。为什么呢？你一定在网上、电影里看到过化疗后头发掉光的癌症患者。其实，掉头发只是化疗反应中不算强烈的感觉。在化疗后几小时，患者常常会恶心和呕吐，有些病人会持续几天严重恶心和呕吐，甚至连水也无法下咽。但是，化疗是挽救和延长癌症患者生命最有效的治疗方法之一。

化疗有时候是比手术和放疗更有效的癌症疗法。手术不一定能将癌症肿瘤切除干净，而且有的患者在手术后，虽然表面看上去已经很正常，甚至各种检查都没有发现癌细胞，但实际上，癌细胞可能已经转移，只是没有在原来的地方生长。这时候就只能靠化疗来防止癌症的复发。对于那些不能进行手术和放疗的中晚期癌症患者，化疗是唯一有效的治疗手段。

看到这样可怕的副作用，你是不是觉得西医不好，想赶紧找中医呢？中医的确能让患病的人感觉舒服些。

我们还是拿癌症的治疗来说吧：在中医看来，肿瘤就像毒蘑菇一样，在阴暗潮湿的环境下，毒蘑菇就会疯长。西医的手段就是把毒蘑菇割掉；而中医治疗，不是去割掉毒蘑菇，而是希望通过吃中药、针灸等方法，把身体里阴暗潮湿的环境变为干燥通风的环境，毒蘑菇自然就长不出来了。

但是，我们必须明确：不管中医还是西医都是想把病人的病治好。只是每个病人的身体情况都不一样，每种病的发展情况也不一样，每个病人对所用药物的反应也不一样。同样的治疗方法、同样的药，用在相同癌症的不同病人身上，有些人被治好了，有些人却治不好。有些病人通过西医治疗痊愈，而有些病人喝中药痊愈了。

为了更好地治疗病人，我们常常会用中西医结合的方法。这

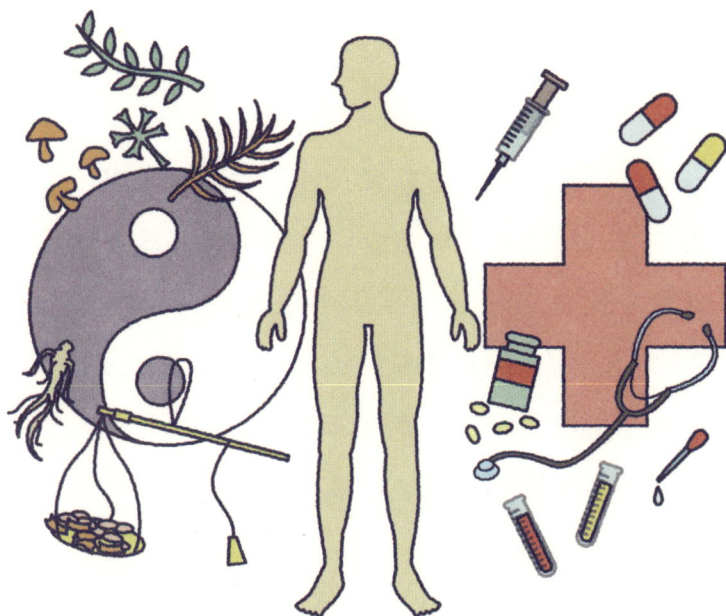

里有一个很好的例证：

2002年11月初，在我国广东省河源市的患者王某，在接触果子狸的过程中感染病毒，出现肺炎病症。这就是当时被称为"非典"的传染病。这个病经由旅游、商贸、移民人群迅速扩散到了香港，并由香港再扩散至越南、新加坡及加拿大。到2003年7月，超过8000人染病，将近800人死亡。

中医参与了难忘的抗"非典"战斗。中药在"非典"治疗中不仅有退热快、不反复、有效缓解症状的特点，它的早期干预在这一疾病的发展中对减轻肺损害程度也起到了一定作用。正是由于中西医的联合治疗，才抑制了疾病的传播，治愈了大多数感染的病人。

再讲一个关于治病的有趣故事吧：

清朝皇帝康熙在1693年疟疾病发作。什么是疟疾？疟疾是一种通过蚊子传染的疾病，得病的人，开始会感觉很冷，然后发烧，头痛，呕吐。得过疟疾的人形容说："冷时如入冰窖，热时似进烤炉。"如果不在24小时内予以治疗，恶性疟疾可能会发展成严重疾病，并且往往会致命。

皇帝得了这要命的病那还得了！大臣、太监都急坏了，当然，最急的还是御医们——病要是治不好，他们的脑袋可能就保不住了。康熙每天苦楚万分，喝了很多中药，都没有太大效果，他下了急诏，在全国上下遍请神医。

当时有一位法国的传教士洪若翰来到中国，他听说了康熙的病情之后，献上了一种白色粉末，名叫"金鸡纳霜"，可以治皇帝的病。大臣们没有一个见过这东西，太医们也不认识。康熙也许是病得太难受，顾不得那么多，叫一名大臣试了试，觉得这药不是毒药，就吃了下去。很快，他的病就被治好了。

后来人们知道了，金鸡纳霜是南美洲的金鸡纳树树皮磨成的粉末。1820年，法国科学家从金鸡纳树树皮中提取出了有效单体——奎宁。人类从此有了治疗疟疾的药。

在2015年10月，有一位中国科学家获得了诺贝尔生理学或医学奖，这位了不起的科学家就是屠呦呦奶奶。屠呦呦奶奶因为创造性地采用低温乙醚萃取法，经过191次尝试，终于成功地提取了中药黄花蒿中的青蒿素，她也因此获得殊荣。

青蒿素是做什么用的呢？青蒿素也是用来治疗疟疾的。你们可能要问：不是有金鸡纳霜吗？皇帝的病都治好了，现在的人为什么不用呢？——因为金鸡纳霜没效果了！根据世界卫生组织2015年12月公布的最新估算数据，2015年有2.14亿起疟疾病例，43.8万人死亡。疟疾是一种致病性原生生物——疟原虫，它寄生在患者的红细胞里。

人们最开始用奎宁治疗，接着又合成出了氯喹，成功挽救了数以万计的生命。但是好景不长，疟原虫也在进化。人类刚刚开始剿灭小范围里的疟原虫，能够抵抗氯喹的疟原虫就搭乘着"蚊子飞机"，从东南亚和南美洲地区迅速扩散到世界各地。

我们人类与疟疾的战争并没有结束。随着青蒿素的广泛使用，医疗工作者发现一些疟原虫已对青蒿素产生了抗性。现在又到了人类与疟疾战斗的关键节点。在下一个100年中，人类会研制出什么样的新药防治疟疾呢？疟疾能像天花一样，被人类彻底征服吗？这个任务看来是要由你们来完成了！

上面这两个故事，一个是西药治好了中国皇帝的疟疾病，一个是中药提取物挽救了世界上成千上万疟疾病患者。所以说，不管中药西药，能治病救人的就是好药。

我们的中药不像西药那样每一种成分都很清楚。中药里面，就算是一味中药，它的化学成分就可能有几十种、上百种，甚至更多。而这些化学成分之间，有的会产生作用，有的不会产生作用；

有的是单用时不起作用，联合用时化学成分之间相互产生作用。

要想清楚中药里面有效的成分，就必须依靠现代高新科技。中国的药草通过现在的一些高新技术和仪器的加工、鉴定和提取，可以更好地为人们防治疾病。

比如说，有一种中药叫附子。附子里面有乌头碱。乌头碱有六种：乌头碱、水解乌头碱、新乌头碱、水解新乌头碱、次乌头碱、水解次乌头。前面的三种是有毒的，我们不太需要，而后面水解的三种对镇痛抗炎有作用。

过去医生用药材，根本没有办法知道药材中有毒的三种成分和有用的三种成分是多少，如果使用的乌头碱的含量不稳定，就有可能产生风险。现在，我们有了先进的检测方法和仪器，可以精准地测量出药材中各种成分的含量。同时，我们还可以通过实验知道，多少量的有效乌头碱对病人的疾病治疗效果最好。同步检测后得出来的数据，记录到国家的标准和药典中，使附子这味中药的运用更精准。

总而言之，中医是一门中国人几千年来代代相传的、极其精

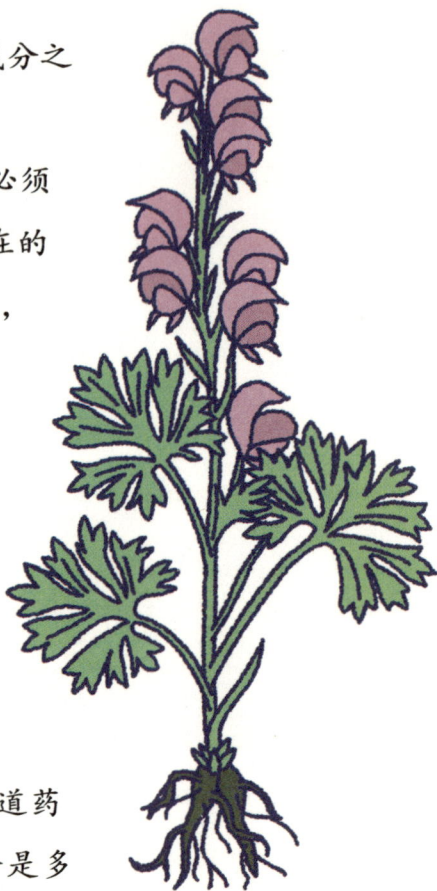

142

细、极其复杂，而且也极其高深的学问。

只有真正了解中医的博大精深，真正怀着对每一株药草的热情，真正意识到中医对人类治病防病的作用，才能最终把我们千年传承的医学本领推向一个新的高度。

异想天开

你能不能想象：以后中药的药方很有可能不再是"川贝几两，决明子几钱"这种不是特别精准的模样了，我们将能够分析出每一种草药——甚至是每一株草药中的有效成分。根据每一种疾病的症状，精确地挑选出适合的草药，而且还能找出单独服用这种草药的副作用，再用其他几种草药来中和。从而做到真正的、没有副作用的药到病除。

你能不能想象：随着科技的发展，本来就对人体深有研究的中医大夫们会对人体产生更深的理解。"筋脉""穴位"这样的名词将会被"×××细胞群""×××器官组"代替。大夫们对各种疾病的了解越来越深入，通过对人体的实时监控，甚至可以在病菌进入身体的几小时内就对病人发出预警、开出药方。

你能不能想象：当中医与电脑联合起来，一起保护人们的健康时：大夫们能测量你身上每一个细胞的状态，输入电脑后就能形

143

成一个电子的"你"。医生们根据这个"你"的身体状况，来推测出你以后几十年可能会产生的所有病，然后提前给你对症下药，预防治疗。治疗以后再模拟，模拟以后再治疗……最后可以让你的一生都远离疾病的困扰。

亲子活动

144

广东人都爱喝清补凉汤。传说，秦始皇派赵佗为副将率领50万大军平定岭南的时候，中原的士兵不适应南方的湿润气候，纷纷得病，由随军大夫研发出了这种药食——清补凉。这么算来，已经有2200多年的历史。它不仅可以清热、祛火、祛湿，还可以健脾养胃，补气益气润肺，男女老少都可饮用。

清补凉的配方有很多种，一般常用的药材：玉竹、党参、枸杞、芡实、淮山、薏米、莲子、百合、红枣，你都认识它们吗？和爸爸妈妈一起，找一个方子，亲手煮一锅凉汤吧。

12 未来科学让我们活得更久更健康

杨胜利

中国工程院院士。

从事过制霉菌素、放线菌酮中试工艺与应用，以及制霉菌素生物合成、抗生素耐药性、抗病毒抗生素、青霉素酰化酶基因工程、苏氨酸代谢工程、微生物血红蛋白基因工程和分子药理学等研究，其中，青霉素酰化酶基因工程获中国科学院科技进步一等奖和中国科学院第二届亿利达科技奖。

现任中国科学院上海生命科学研究院研究员，中国工程院医药卫生学部主任，中国工程院主席团成员、中国工程院医学会商学会主任。

杨爷爷，您真的是一个研究让人长命的科学家吗？

哈哈哈，可以这么说吧。我现在是中国科学院上海生命科学研究院研究员，从事基因工程和分子药理学等方面的研究。

我们人真的会活得越来越久吗？

是啊！过去生命科学包括医学都是在做减法，现在的转化医学从基因组到智慧医学……可以监控从健康状态到亚健康状态，再到疾病发生，然后到疾病治疗的全过程。所以说：未来智慧医学能帮助我们人类活得更久更健康。

在我小的时候，爷爷奶奶对我很好，我从没想过他们会老。可是，有一天，爷爷住进了医院，再也没有回来。爸爸妈妈说，爷爷到天上去了；奶奶说，爷爷去帮她建一个新的家，安置好了，她也要去那个地方。我哭了，因为，妈妈跟我说，爷爷再也不会回来了。那一瞬间，我隐隐约约地感受到"死亡"的概念，感受到生命的属性。但我不能够接受这一切。

147

后来，我长大了，开始明白，我们和生活在地球上的老虎、狮子、小鸡、小鸭等都是一样的，都是地球上的动物。我们经历一样的过程：出生、长大，最后死亡。这是一件令人泄气的事，当我想到这件事的时候，都会有一种虚无的绝望感。

虽然我们知道自己从出生开始就会渐渐走向死亡，但对生命的追求从来没有停止过，我们希望生命不断加长的愿望从来也没有停止过。古代的皇帝举办祭天大典，渴望长寿；民间的道士每天焚膏炼药，以求长生；就连到了今时今日，医生们、科学家们乃至每个普通人的心中，都保留着对长寿的向往。

当然了，长生不老恐怕是一件不可能的事情。尽管如此，我

们想方设法，让人的寿命尽量地延长却是可行的。

事实上，人类平均的寿命确实比以前高很多。在中华人民共和国成立的1949年，人的平均寿命只有四十来岁。那今天呢？短短不到七十年过去，我们中国人的平均寿命已经在七十五岁上下了！涨了将近一倍！平均下来，每两年，我们的寿命都会增长将近一岁。

这一切，都要归功于科技的发展。医学的进步使人类不再受到天花、白血病、急性肺炎、瘟疫等一系列"不治之症"的困扰，即使是目前尚未能治愈的疑难杂症，人们也可以在现代医学的帮助下存活得更久、更舒服。

当我们生活变得越来越好的时候，就会更想长长久久地活在这个世界上，还要活得很健康很快乐。

如果总是生病，浑身疼痛，要打针吃药，那也很难受，对不对？

那么我们怎样才能活得长久，又很健康呢？

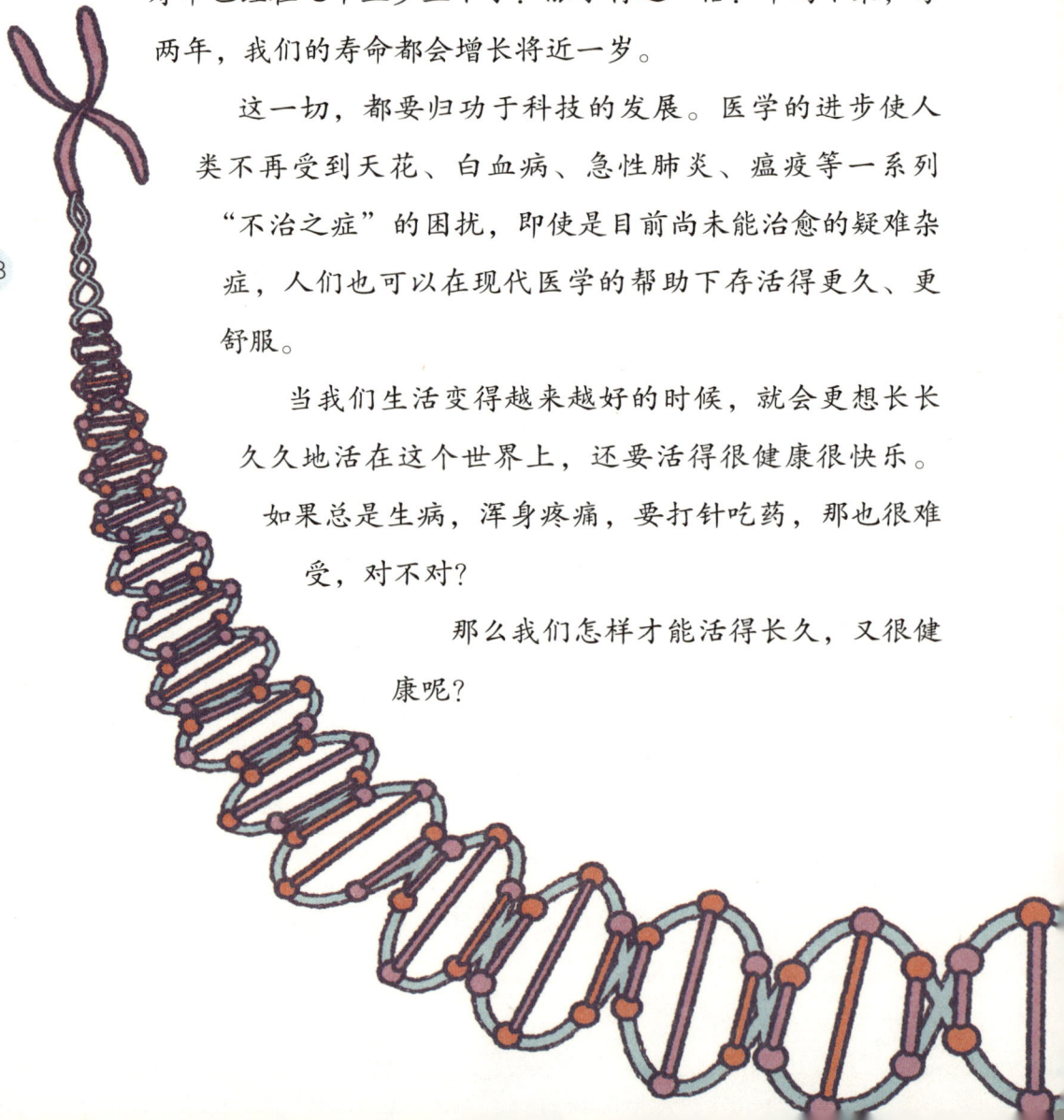

148

第一招：不要让自己生病，不要衰老得太快

我们的中医在很早以前就说：高明的医生不仅能把病人治好，还能发现一个人快要生病。如果一个人生病了才去找医生治病，就像一个国家被入侵时才想到找一个将军去打仗，就像人口渴才想到去挖井取水——这都太晚了。

所以，我们绝不能那样，我们要在还没有生病之前就做好预防。呵呵，科学家们真的能办到呢。不相信？你认真看下去，你就会看到人类的智慧是多么强大，我们的科学家能想出多么神奇的好办法。

你有没有听说过"转化医学"？我猜没有。这个词，很多大人都没有听说过呢。好吧，你现在先记着这个就好了，之后你就会知道转化医学是干什么的。

你一定听说过这两个词——"DNA"和"基因"。千万别告诉我没有听说过，如果真的是这样，那就请你去问一问爸爸妈妈吧。

你，是一个人，你的身体都是由细胞组成的，而组成细胞的物质很多，但是决定哪个细胞分裂最后变成你的胳膊，哪个细胞分裂最后变成你的腿、眼睛、大脑的关键物质，就是DNA。DNA是一个长长的链条状物质，放大1000多倍，我们才能看见它。而基因，就是组成DNA的一

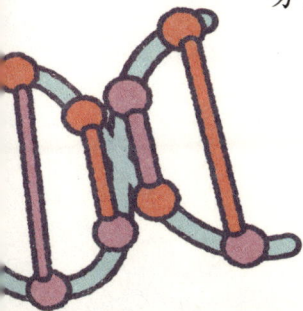

149

个个小片段。

基因里面储存着关于生命的种族、血型、孕育、生长、凋亡过程的全部信息。也就是说，你生下来，是不是黄种人，你的血型是什么样的，你出生后会长多高，都是由你的基因决定的。

每一个人的基因都是不一样的，一个人的DNA里面总共有2.5万多个基因，这些基因又有30多亿种碱基，它们能排列出几亿兆种组合。所以两个人的基因几乎不可能完全相同。

小知识

碱基，是组成基因的一种化学物质，你可以把它看作基因的小片段。在生物学上细胞是人体的最小组成单位，事实上，细胞还可以分成更小的部分：细胞的中间是细胞核，细胞核里面有DNA，每一个DNA都是由众多基因组成的，而每一个基因又能分成几万个小部分——碱基。

我们的基因来源于父母，所以你爸爸妈妈的很多特点你都能继承下来。比如说你是双眼皮，对音乐节奏很敏感……这些特点很可能就是从爸爸妈妈那里遗传下来的。

另一方面，基因的组合不是一成不变的。爸爸妈妈遗传基因在遗传给你的时候可能会发生一些错误，这可不是坏事哦！因为这

些"错误组合"有可能为你组合出了其他长处。要是有些优点是你有而你爸爸妈妈没有的话，那么这些就是你自己变异出的优点啦。

照搬父母的那一部分基因组合，叫作遗传；因为环境产生变化的那一部分不同于爸爸妈妈的基因组合，叫作变异。

不仅仅是我们人类是这样的，地球上所有的生物，包括植物、动物、微生物，都是这样的。遗传和变异，保证了我们地球上的生物一直存在和不断进化。生物体的生、长、病、老、死等生命现象也和基因有关。

基因除了确保每一个人都是独特的以外，也是决定人类生命健康的内在因素。如果你认为，父母的基因遗传或者变异给我们的都是那些优点，那就大错特错了。基因在传递的过程中，也会遗传、变异出一些的疾病。

现在我们已经知道，很多疾病都是基因决定的，比如高血压、糖尿病、心脏病和自身免疫等，这些疾病都是多基因共同作用造成的。到现在为止，科学家已经发现的遗传疾病有4000多种。

你想想，既然有那么多疾病都是由基因组合决定的，那么如果我们能够在一个孩子出生的时候，甚至是出生之前就知道他的基因排列是什么样，然后把他的基因排列和健康的人类基因排列进行对比，不就能找出哪些基因是不好的？知道了哪些是不好的基因，我们也许可以把它们去掉（这个过错一定要在人出生之前完成），或者知道他将来可能得什么病，早早做好准备，这个人的生命过程

一定会更健康。

　　这一系列的工作有一个专业的名词可以概括，那就是"转化医学"。

　　一直以来，众多医学研究者、临床医生、科学家们都没有放弃对一样东西的寻找，那就是"绝对健康"状态下人的基因组合。打个比方吧，我们的基因排序就好比是一张纸。如果世界上有这么一个人，他身强力壮，什么遗传性疾病都拿他没办法，他有着悠长的寿命而且永远处于健康的状态下，他对传染病的抵抗力、

免疫力远超常人，那么他的基因排序就是一张无瑕的"白纸"。而一般的人类，他们的那张"纸"，并不是纯白的，纸上或多或少地散布着一些大大小小的黑点。就是这些黑点决定了这个人注定会患上某一种疾病，或者比其他人更容易患上某一种疾病。你身边有没有人每年一到夏天就特别容易感冒？搞不好这就是他们的基因决定的哦！

事实上，每个人的基因排序都是不完美的。那种"无瑕的白纸"般的基因排序只存在于人们的想象中。这种排序自然出现的可能性几乎为零，因为没有人的基因是完美的，而每一个小朋友的基因都是从爸爸妈妈那里遗传来的。两个不完美的基因有办法拼出一个完美的基因吗？

但是有了科学的力量就不一样了。科学家们深信那个"完美的基因排序"是存在的，只要摸清楚每一个基因片段是干什么用的、会出现哪些变化、其中哪个变化是最好的，我们就可以手动把纸上的黑点擦掉，把它变成一张无瑕的"白纸"。这个过程说起来容易做起来难啊。那么多年过去了，我们连每一个基因片段是干什么用的都没完全弄明白呢！

人类基因组计划是由美国科学家于1985年率先提出的，于1990年正式启动。在6个国家（美国、英国、法国、德国、日本、中国）的科学家共同参与下，经过16年，才完成了解读人体基因密码的"生命之书"，它覆盖了人类基因组的99.99%。

153

你看，为了把一个基因的序列搞清楚，6个国家的顶尖科学家，用了16年的时间！而且还不是百分百的基因组，也不是单个的基因，甚至还没探究到碱基那个层面哦！（忘了碱基是什么吗？快翻回去看看！）

既然那么难，这个问题是不是无解呀？当然不是！我们是人类，我们是聪明的人类呀！要是你在100年前把一台电视机放到一群人面前，他们肯定吓得四处逃命，因为他们觉得见到鬼了！哈哈哈，现在的电视机都快被我们手上的电脑、手机替代。在科技发展的过程中，我们人类一直都在发明着自己都不敢相信的物件。这些物件彻底改变了我们的生活。当我们人类完全解读了自己的基因密码，那么我们的寿命也势必能再次实现飞跃，这些都只是时间上的问题。

第二招：利用高新科技，找到更多治疗疾病的新方法

这个研究方向有很多，我简单地讲一个最有科幻色彩的方向：未来的体内医生——纳米机器人。纳米机器人是纳米生物学中最具诱惑力的成就。

纳米机器人之所以能成为"体内医生"，首先是它非常小。它有多么小呢？你先去看看一厘米有多长，然后再看看，一毫米有多长？准备好了吗？现在请你记住：1毫米=100万纳米！这样你该

知道一个纳米机器人有多么小了吧？

纳米机器人的概念最早是由诺贝尔物理学奖得主理查德·费曼于1959年提出的。他认为人类未来有可能建造一种分子大小的微型机器，可以把分子甚至单个原子作为建筑构件，在非常小的空间里构建物质。

他的意思是：我们人类在未来有可能建造出一种分子大小的微型机器，如果想得到一种新的物质，可以随便拿一种物质，放在这个机器里面，把它分解成原子和电子（任何物质都是原子和电子组成的，这个你该知道吧？只是因为原子与电子的数量不一样，它们才呈现出不同的样子和特性），然后，再组合一下，就可以得到。

他这个预言是不是非常厉害？我们直到今天还是做不到。但是，因为有了这个预言，人们一直在研究怎么把东西越分越小，越做越小——比如，纳米机器人。

谷歌X实验室生命科学小组负责人安德鲁·康拉德说，谷歌正在设计一种纳米磁性粒子，这种粒子可以进入人体循环系统，进行癌症和其他疾病的早期诊断与治疗。这种纳米磁性粒子就是大名鼎鼎的"纳米机器人"。这种纳米机器人的自身体积，我们人类的肉眼根本看不见，但它的作用却十分重要，它完全可以诊断和治疗疾病。

2010年5月，美国哥伦比亚大学的科学家成功研制出一种由

155

DNA分子构成的纳米蜘蛛机器人，它们能够跟随DNA的运行轨迹自由地移动、转向以及停止，并且它们能够自由地在二维物体的表面行走。这种纳米蜘蛛机器人只有4纳米长，比人类头发直径的十万分之一还要小。

我国中科院沈阳自动化研究所成功研制了一台纳米微操作的机器人系统样机，可在纳米尺度上切割细胞染色体。这种机器人在很多性能方面处于世界先进水平。

我国重庆某研究所研制的名为"OMOM胶囊内镜系统"的纳米机器人医生，可以钻进人的肚子里，把人体内的图像传到电脑屏幕上，这项技术全球领先。

在纳米机器人进入人体之后，它可以精确杀死癌细胞，疏通

血栓，清除动脉内的脂肪沉积，清洁伤口，粉碎结石等。当你感冒时，医生不用给你打针吃药，而是给你在血液里植入纳米机器人，这种机器人在体内探测感冒病毒的源头，并到达病毒所在处，直接释放药物杀灭病毒。

你肯定想说，既然纳米机器人这么厉害，为什么我得了感冒，还是要吃药，然后难受好多天才会好呢？是的，现在的纳米机器人医生这个技术停留在研发试验阶段，还没有实际运用到我们的临床治疗中。

第一，我们还不能给纳米机器人找到成熟精准的"导航系统"。

157

你知道的，人体非常复杂，纳米机器人进去之后，必须有精准的导航系统，才能去到有病变的地方。就像是我们现在开车去一个新地方，我们可以打开GPS导航系统，很快就可以得到一条通往目的地的线路，按照线路行走，就可以很顺利到达目的地。而现在我们还没有找到可以给纳米机器人导航的"GPS系统"。

第二，我们还没有想出办法，怎么回收纳米机器人。

如果用纳米机器人治病，我们往病人身体里面派放的纳米机器人可不是一个两个，而是成千上万个！这些小小机器人医生在完成自己的任务后，必须从人体中取出来。可是科学家现在还不知道怎么能全部把它们请出来。

纳米机器人医生不但具有检查方便、无创伤、无痛苦、无交叉感染、不影响患者的正常工作等特点，也许还可以改善人类的大脑功能，未来的人类将会成为"新人类"。

想一想，我都感到很激动！

我可以肯定地告诉你，用不了多久，纳米机器人将被广泛地运用到人类的日常生活，彻底改变人类的劳动和生活方式。而纳米机器人医生从人体内部清除人类的疾病，会使人类的寿命大大提高！

异想天开

未来，我们一定可以造出一台机器，把人的细胞放上去，就能很快检测出基因是否有问题。

未来，我们一定可以合成更多更好的预防用药，就像我们现在注射了乙肝疫苗就不会得乙肝，吃了小儿麻痹症糖丸就不会得小儿麻痹症一样，在我们还没有得这种病之前就不让自己得病。

未来，我们一定可以用自身的细胞进行培养，生成新的器官，通过移植手术，替换掉体内原本"坏"了的器官。

未来，我们也许可以通过模拟技术在电脑里生成一个自己的模型，通过观察模型的身体状况来预防治疗疾病。

未来，我们一定可以利用纳米科技和纳米机器人减缓人体衰老过程，它也直接进入血流中，找到生病的细胞，干掉它！最好是能找到DNA上错误的基因，把它修理好。

未来，我们的医院，不对，我们可能不再需要去医院。我们身上都带着医疗信息芯片的装置，它会自动收集我们身体情况，进行分析问题，并及时把问题信息通过网络传输到医院。医生通过网络诊断，给出治疗方法。

未来，或者，我们可以更科幻一点地去想象：人类或者可以把每个人脑子里想的所有东西都存储下来，当一个人的身体衰老后，及时制造出新的身体，把思维再输回去。哇哦，人就永远不会死了。（呵呵。有点可怕！）

未来……未来就是无限的可能，能不能实现，就全靠你们了！

亲子活动

请你和爸爸妈妈一起收集资料，填一填下面这张表吧。你会为找到的数据而感到惊讶的！

中国人数量与平均寿命统计表

	中国总人口（人）	中国人平均寿命（岁）
1930年		
1950年		
1970年		
1990年		
2000年		
2010年		